GOÛTS ET SAVEURS
D'EUROPE CENTRALE

Goûts et Saveurs
d'Europe centrale

Sous la direction de : Lesley Chamberlain
Auteurs des recettes : Catherine Atkinson et Trish Davies

Traduction : Hélène Varnoux

MANISE

Édition originale 1999 au Royaume-Uni par Lorenz Books
sous le titre *The Practical Encyclopedia of East European Cooking*

© 1999, Anness Publishing Limited
© 1999, Manise, une marque des Éditions Minerva
(Genève, Suisse), pour la version française

Éditrice : Joanna Lorenz
Éditrice adjointe : Margaret Malone
Graphiste : Julie Francis
Assistant d'édition : Jo Lethaby
Photographies : Dave Jordan et Ian Garlick
Préparation des plats : Sara Lewis, assistée de Julie Beresford
et Clare Lewis, assistée de Sascha Brodie
Stylisme culinaire : Marion McLornan et Shannon Beare
Illustrations : Angela Wood (dessins) et David Cook (cartes)
Relecture : Joy Wotton
Suivi éditorial : Julie Hadingham

Traduction : Hélène Varnoux

ISBN : 2-84198-127-4

Dépôt légal : août 1999

Imprimé à Singapour

Note de l'éditeur : *Les thermostats indiqués en équivalence des
températures de cuisson au four se réfèrent à un four disposant d'un
thermostat de 1 à 10 ; pour les thermostats gradués jusqu'à 8, il est nécessaire
d'adapter ces valeurs. Les températures sont données à titre indicatif
et doivent être ajustées à la puissance de chaque four.*

SOMMAIRE

INTRODUCTION

De la mer Baltique au nord à la mer Noire au sud, la cuisine de l'Europe centrale est riche en plats savoureux et copieux. L'alimentation de base fut largement conditionnée par des hivers longs et rigoureux, et un sol peu propice à la culture. Le résultat est cependant surprenant. Bien que partageant de nombreuses caractéristiques communes, les cuisines traditionnelles, de la Russie aux Balkans, offrent une diversité étonnante et une subtilité extraordinaire dans leur utilisation ingénieuse des ingrédients et leurs alliances de saveurs.

Les Allemands, les Tchèques, les Hongrois, les Polonais, les Ukrainiens et les Russes sont fiers de leurs cuisines copieuses, qui ont peu changé depuis des siècles. Elles comprennent des soupes et des ragoûts appréciés dans le monde entier, mais aussi le pain le plus nourrissant que l'on puisse déguster. La cuisson des plats est généralement longue et à feu doux, et les saveurs des mets, dues essentiellement à la présence de légumes et poissons, très parfumées.

Si les cuisines méridionales des pays balkaniques – Roumanie, Bulgarie et ancienne Yougoslavie – partagent de nombreuses recettes avec celles de leurs voisins septentrionaux, les étés longs et chauds, et un sol plus riche, favorisent des récoltes maraîchères enviables. Les plats de ces régions offrent un contraste coloré avec ceux du nord ; ils sont par ailleurs plus épicés et leurs saveurs, comme leurs textures, sont souvent influencées par les cuisines italienne, grecque et turque.

Il n'est pas exagéré d'affirmer par conséquent que l'art culinaire de l'Europe centrale tire ses traditions d'une bonne moitié du globe.

HISTOIRE ET CARACTÉRISTIQUES RÉGIONALES

Les grands empires européens jouèrent un rôle majeur dans la partition de la région ; d'où la division de cet ouvrage en trois grandes zones géopolitiques : la Russie, l'Ukraine et la Pologne ; l'Allemagne, l'Autriche, la Hongrie et la République tchèque ; la Roumanie, la Bulgarie et la côte est de l'Adriatique.

Dans le monde gastronomique, les cuisines d'Europe centrale occupent une place de choix. La cuisine russe offre des soupes aigres, des crêpes et

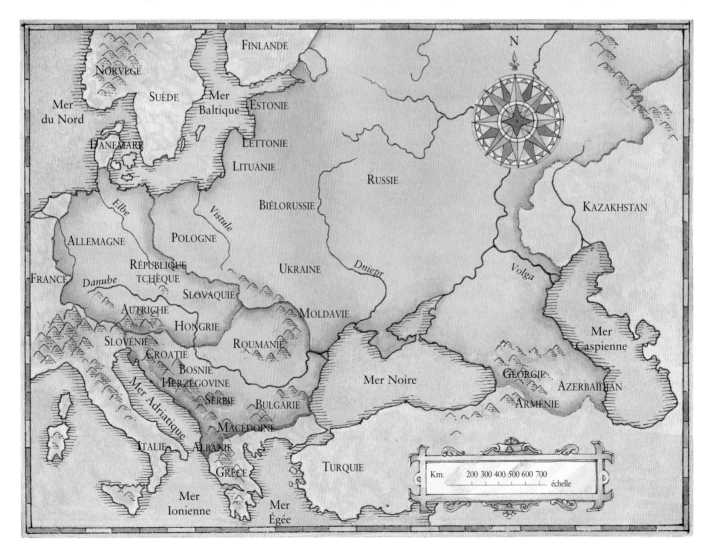

des bouillies, ainsi qu'une pâtisserie au levain. L'art culinaire de l'Europe centrale est un héritage de l'Empire austro-hongrois, avec notamment sa tradition des cafés. Les gâteaux et les pâtisseries de cette région, telles la *linzertorte* ou la *dobos torta,* sont célèbres dans le monde entier.

La gastronomie plus épicée des pays balkaniques – de la Serbie à l'ouest à la Bulgarie à l'est, et en bordure est de l'Adriatique –, qui faisaient tous autrefois partie de l'Empire ottoman, délimite la troisième région culinaire. Ces frontières ne sont toutefois pas rigides et l'on observe de nombreux échanges entre ces trois zones. La cuisine de pays comme la Hongrie, la Slovaquie et la Croatie, par exemple, reçoit des influences de l'Europe centrale, tandis

---

EN HAUT – *Ce biscuit roulé au pavot est un exemple de la pâtisserie polonaise au levain.*

PAGE PRÉCÉDENTE – *L'est de l'Europe peut s'étudier sous des angles très divers – historique, culturel, géographique, politique – et aussi via ses grandes traditions culinaires.*

CI-CONTRE – *Fruits cueillis à Skopje, en Macédoine. Ne soyez pas surpris par la présence de confiture de pommes, sur la table au petit déjeuner, dans le sud.*

que la cuisine allemande reçoit celles du reste de l'Europe.

DU NORD AU SUD

Dans le nord-est de l'Europe, le seigle est la principale céréale, d'où la consommation de pain noir, aujourd'hui apprécié pour sa saveur et sa valeur nutritive dans de nombreux autres pays.

De l'Allemagne à la Russie, les légumes se limitent pour l'essentiel aux racines : carottes, navets, oignons, pommes de terre, choux-raves, betteraves et raiforts. Choux et persils plats sont aussi très répandus, tandis que les fruits les plus couramment consommés sont les pommes et les baies estivales.

Depuis des siècles, par ailleurs, l'alimentation hivernale de ces régions dépend des conserves de ces mêmes fruits et légumes. D'où la présence des légumes au vinaigre, ou pickles, mais aussi d'excellentes confitures utilisées pour les tartes et les gâteaux. La confection annuelle de confitures est une tradition encore très respectée.

Le sud-est de l'Europe est connu pour sa culture champignonnière, et quantité de plats, notamment des soupes et des ragoûts, sont composés de ces fruits miraculeux récoltés dans les forêts automnales et humides.

De nombreuses saveurs sont propres à ces régions. On y fait un usage abondant d'aneth frais et de crème aigre dans les salades et les soupes, de pain de seigle aux graines de carvi et de gâteaux faits maison – strudel aux pommes, biscuit roulé au pavot et gâteau de fromage frais.

Par contraste, les sols plus riches et les étés plus chauds et plus longs permettent aux Balkans de profiter de légumes et de fruits plus généralement associés à la cuisine méditerranéenne, comme les courgettes, les aubergines et les poivrons, mais aussi les melons, les tomates, les abricots et les pêches, qui poussent tous en abondance.

Certaines des recettes les plus originales présentées dans cet ouvrage sont les plats végétariens originaires des Balkans, qu'il s'agisse du riz aux courgettes de Roumanie, ou des ragoûts de légumes serbes ou bulgares. De fait, le riz domine la cuisine des Balkans ; il est notamment cuit dans du lait et aromatisé à l'eau de rose, couramment utilisée dans les desserts.

LES INFLUENCES EXTÉRIEURES

Sur un plan culinaire, les frontières géographiques et ethniques s'effacent souvent. Ainsi, la soupe à base de betterave est appelée *borchtch* ou *barszcz,* selon sa présence sur une table russe, ukrainienne ou polonaise. La gastronomie de pays comme en Hongrie et en Roumanie mêle des influences allemandes et moyen-orientales, auxquelles s'ajoute une utilisation de produits divers, notamment les poivrons, les aubergines et les fromages marinés. Dans la cuisine polonaise, on note çà et là une touche italienne.

De plus, les produits connaissent l'importation et l'exportation. Les nombreux biscuits et gâteaux au miel que l'on peut déguster en Pologne,

en Allemagne et en Russie témoignent de l'apport du commerce des épices avec l'Orient, depuis la Chine. C'est l'empereur de Prusse, Frédéric le Grand, qui encouragea son peuple à manger des pommes de terre – une récente importation du Nouveau Monde. L'arrivée des tomates, des oranges et des citrons introduisit également de nouvelles couleurs et saveurs à la nourriture locale.

LE RÔLE DE LA RELIGION

La religion joue aussi un rôle dans l'élaboration culinaire de certaines régions. Dans tous les pays présentés dans cet ouvrage, l'Église a eu une influence indéniable sur la gastronomie. La tradition orthodoxe, en particulier, imposa le jeûne et le semi-jeûne, et ce pendant une bonne partie de l'année, ce qui explique la présence de nombreux plats de carême.

C'est l'une des raisons de la quasi-absence de viande dans la cuisine russe et du nombre limité d'ingrédients. Les Russes apprirent à se contenter souvent de chou et de

EN HAUT – *Gâteau de riz bulgare à l'eau de rose provenant de la vallée des Roses.*

CI-CONTRE – *Russes buvant du thé préparé dans un samovar, vers 1913.*

betterave, et il leur fallut également faire preuve d'une grande imagination culinaire pour satisfaire en même temps leur foi et leur appétit. Répondant à ces préoccupations, on trouve les blinis, ces petites crêpes russes au sarrasin, qui sont servies avec du poisson fumé et du caviar pendant la semaine du carnaval, ou *maclenitsa*. La semaine de semi-jeûne qui prépare au carême, durant laquelle la consommation de viande est évitée, privilégie d'autres mets délicieux.

De même, les juifs installés dans cette région adaptèrent de nombreux plats de l'est de l'Europe aux restrictions imposées par le respect de la *kasherout,* et plus particulièrement à l'interdiction de manger du porc. L'influence de la gastronomie juive est notamment évidente dans les galettes de pommes de terre et les différentes recettes de carpe.

LES TRADITIONS RÉGIONALES

Les traditions culinaires qui s'étendent de l'Allemagne à l'est de l'Europe sont très éloignées de celles de l'Europe occidentale. Les plats en sauce – une spécificité française – sont singulièrement absents ; on ne sert jamais de fromage à la fin du repas, ou de salade à part. De fait, le fromage et les salades – qu'il s'agisse de légumes crus ou cuits – sont présentés en même temps que d'autres plats, en entrée.

Le rituel du buffet est l'un des grands attraits de la cuisine de cette région. On peut y déguster quelques spécialités parmi les plus renommées – du caviar, pour ne citer que lui. Le hareng mariné ou salé est aussi l'un des mets de choix, de l'Allemagne à la Russie, ainsi que les saucisses. On y sert notamment des saucissons épicés ou à l'ail.

En dépit des contraintes exercées par les horaires d'une journée de travail, le déjeuner est le repas le plus copieux. En République tchèque ou en Pologne, on s'attable devant une soupe et un plat principal, accompagnés généralement d'une salade et suivis d'un dessert. Plus au sud, en Bulgarie par exemple, on dégustera en famille une salade de tomates et de concombre au yaourt, des brochettes de porc accompagnées de pain frais et une glace pour finir.

Lors des grandes occasions, il existe des recettes fameuses de ragoûts et de rôtis de bœuf, mais aussi de poulet et d'oie. Dans les repas quotidiens, le porc est généralement la viande privilégiée. Il est cuit en tranches fines, à la manière des *schnitzels* (ou escalopes) allemandes, hachées pour farcir des rissoles ou cuites en brochettes.

La salade de concombre frais ou, mieux, les concombres en saumure, ou *molossol,* sont très appréciés avec le porc. Enfin l'est de l'Europe est, à juste titre, célèbre pour ses saveurs aigres-douces.

LES PAINS

Entrer chez un boulanger pour acheter du pain – un aliment révélateur des traditions culinaires d'une région – est une expérience intéressante à faire en Europe centrale.

On trouve souvent du pain blanc, fait entièrement, ou en partie, avec du blé, comme en Ukraine. Dans d'autres régions, c'est le seigle – qui donne au pain une saveur et une texture bien particulières, mais aussi une couleur foncée –, qui est le plus utilisé.

La fabrication des pains et des gâteaux au levain exigeait du temps, le goût du travail bien fait et un four à bois surveillé. Le *koulitch* russe et la *babka* polonaise pour Pâques, tout comme le *stollen* allemand pour Noël, nécessitaient de longues heures de préparation. Les populations d'Europe centrale, dont l'alimentation était très liée aux fêtes religieuses et aux jeûnes, mais aussi aux vicissitudes des récoltes selon la météorologie, distinguaient la nourriture quotidienne de celle des jours de fête – à l'image du contraste entre le pain noir aigre et les gâteaux festifs.

CI-CONTRE – *Livraison du lait en Albanie selon une tradition séculaire.*

Enfin, une pâtisserie plus raffinée se développa dans les villes au cours du XIXᵉ siècle, notamment des pains blancs aux œufs et à la farine affinée comme la *hallah* juive, ou de délicieux petits pains légèrement sucrés.

LES CÉRÉALES

À côté des céréales pour le pain, on en trouve d'autres comme le millet, l'orge et le sarrasin, utilisées pour préparer la *kacha.* En Roumanie, de vastes superficies de terres sont consacrées à la culture du maïs, qui sert à fabriquer une sorte de bouillie, la *mamaliga,* qui n'est pas très différente de la polenta italienne. Le millet et le sarrasin se cuisent facilement dans les soupes et les gâteaux, qui jouent un rôle important dans les régimes sans viande ou à faible teneur en protéines.

LES POISSONS

De nombreux plats traditionnels étaient jadis à base de poisson que l'on pêchait en abondance dans les cours d'eau de la région. Les rivières regorgeaient de tanches, brochets et sandres, tandis que la mer apportait esturgeons et poissons-chats. Malheureusement la pollution a largement détruit ces richesses naturelles et la pêche de pleine mer fournit aujourd'hui l'essentiel du poisson, souvent congelé, dans les magasins d'alimentation. En conséquence, les plats de poisson se sont appauvris, uniformisés, et les recettes proposées dans cet ouvrage s'inspirent de traditions aujourd'hui disparues.

Un poisson a toutefois conservé sa prédominance : le hareng. Autrefois, aliment de base de Hambourg à Moscou, il est toujours préparé selon des recettes ancestrales. Le hareng frais est mariné avec des pommes, du poivre et de l'huile, ou conservé dans du sel, du vinaigre, des baies de quatre-épices et des feuilles de laurier.

LA CHOUCROUTE

La gastronomie de l'Europe centrale tend à être plus aigre que salée. La

choucroute – du chou blanc salé et fermenté – en est le meilleur exemple. Le chou acquiert en effet une saveur aigre bien particulière qu'il doit à sa fermentation et qui a fait son succès, de l'Allemagne à la Russie, en passant par la Bohème, la Pologne et les Balkans.

Les plats de choucroute les plus sont le *bigos,* un ragoût polonais à la viande et à la choucroute, et le *goloubtsi,* chou farci à la russe selon diverses recettes.

LES ALCOOLS

L'alcool est rarement utilisé comme ingrédient dans l'Europe centrale, si l'on compare avec les traditions française et italienne.

Dans les régions où le climat et le sol auraient été favorables à la viniculture, celle-ci ne fut jamais florissante, en raison, pour une part, de l'influence religieuse des musulmans. Ainsi, le sud-est de l'Europe ne s'est

EN HAUT – *Les* bigos *polonais étaient traditionnellement cuits dans la forêt, pendant les parties de chasse organisées par l'aristocratie, parce qu'on pouvait facilement les réchauffer sur un feu de fortune.*

CI-CONTRE – *Pain cuit au four selon des méthodes ancestrales.*

mis à produire et exporter du vin que très récemment. Dans les régions protestantes et catholiques, en revanche, on fabrique et on consomme depuis des siècles des vins blancs renommés, notamment dans le sud de l'Allemagne, le sud de la Bohème et la Moravie. Une belle variété de vins de table en provenance de Hongrie et de Roumanie a ainsi établi sa réputation sur le marché international, encourageant ainsi une production naissante dans des pays comme la Bulgarie, la Serbie et le Montenegro. Toutefois, il n'existe pas de culture du vin à l'image de celle du bassin Méditerranéen.

LA CUISINE FAMILIALE

Encore tout récemment, les produits s'achetaient sur les marchés locaux, où la choucroute était vendue dans des tonneaux en bois et le paprika enveloppé dans des cornets de papier journal. Poulets vivants, miel, fromage frais ou fromage dans la saumure voisinaient avec des étals de fruits, de légumes et d'herbes, et le boulanger ne se trouvait jamais très loin de la place du marché.

La restauration n'est guère une tradition en Europe centrale, et le voyageur chanceux pourra s'initier à la gastronomie locale chez l'habitant. Quels que soient les mets proposés, l'invité se verra toujours offrir un accueil chaleureux et une nourriture savoureuse.

Pour les autres, cet ouvrage fournit un ensemble de recettes qui reflètent parfaitement les traditions culinaires de chaque région. Groupés selon les zones

géographiques, des plats pour toutes les occasions sont proposés. Ils peuvent ainsi être réalisés par tous les cuisiniers n'importe où dans le monde.

Fermée aux influences occidentales pendant une cinquantaine d'années, cette région n'a guère été touchée par les nouvelles approches nutritionnistes. C'est pourquoi les recettes choisies pour cet ouvrage ont été allégées afin de répondre aux besoins et aux préférences du gastronome occidental.

La cuisine d'Europe centrale est souvent économique parce qu'héritière de traditions culinaires paysannes. Ce qu'elle exige avant tout c'est de la patience et du temps.

Et ces plats méritent amplement qu'on leur consacre le temps nécessaire, afin de pouvoir découvrir des saveurs et des textures originales et délicieuses.

EN HAUT – *Délicieuse forêt noire aux cerises, un gâteau très apprécié, originaire du sud de l'Allemagne où le kirsch est distillé.*

CI-CONTRE – *Café en plein air, à Vienne. Aquarelle de Wilhelm Gause, 1901.*

RUSSIE, POLOGNE ET UKRAINE

*La gastronomie de cette région possède toutes les caractéristiques
d'une cuisine traditionnelle restée pratiquement inchangée depuis
des siècles. Qu'il s'agisse d'une soupe rustique aux betteraves
ou de caviar, plus luxueux, les ingrédients, les saveurs
et les textures nous révèlent l'excellence de cette cuisine.*

INTRODUCTION

La région regroupant la Russie, la Pologne et l'Ukraine atteste une longue tradition de cuisine paysanne, avec ses saveurs âcres de pain de seigle, ses légumes marinés et sa choucroute, ses champignons, ses harengs, ses oignons et ses saucissons. Ces aliments très simples reflètent aussi la pauvreté du sol, la dureté du climat et, par conséquent, la nécessité de conserver par des méthodes traditionnelles (sel, vinaigre ou séchage) des ingrédients consommables toute l'année.

Quelques racines et légumes, des céréales, une moutarde à l'ail et du raifort pour condiments, ainsi que des produits laitiers aigres, tels que le yaourt et le babeurre (le *kefir* russe) constituèrent longtemps les aliments de base. Les choux et les concombres, frais ou salés, représentaient les principales sources de vitamine C d'une alimentation qui fut longtemps limitée à quelques produits.

LES INFLUENCES RELIGIEUSES
En Russie et dans les régions d'Ukraine où l'Église orthodoxe imposa ses habitudes alimentaires – du moins jusqu'au début du XXᵉ siècle – l'Église sut faire de nécessité vertu. Elle divisa les aliments en deux groupes. Pendant plus de la moitié des jours de l'année, seul le régime du carême était autorisé : légumes, poissons et champignons. Le lait, les œufs et la viande étaient consommés les autres jours.

Ces règles alimentaires aboutirent à un certain nombre de recettes simples et facilement adaptables. Un repas complet consistait souvent en une soupe au chou accompagné de *kacha*. La viande, lorsqu'elle était disponible, était cuite dans la soupe, mais servie à part. Les jours de jeûne, les champignons remplaçaient la viande pour donner plus de saveur à la soupe et pour farcir les *pirojki,* des petits pâtés en croûte.

Les crêpes de sarrasin et la crème aigre, caractéristiques de la semaine du carnaval, pendant laquelle on ne mange pas de viande, comptent aujourd'hui parmi les plats russes les plus appréciés dans le monde. Pendant la pâque russe, le cochon de lait rôti et badigeonné de crème aigre, ainsi que le *koulitch,* une brioche servie avec du fromage frais sucré, offre un délicieux contraste avec les mets de la période de jeûne qui les ont précédés.

En Pologne, l'Église catholique a surtout insisté sur le rôle majeur joué par la fête de Noël. On n'y recense pas moins de douze plats de carême – chiffre correspondant au nombre des apôtres – proposant notamment une soupe aux betteraves, des harengs, une carpe en sauce noire et un plat de champignons.

UNE MODERNISATION RÉCENTE
Deux facteurs ont contribué, au cours du XIXᵉ siècle, à la modernisation de la cuisine paysanne de l'est de l'Europe. Le premier fut l'industrialisation de la région qui poussa les paysans à émigrer vers les villes et l'apparition d'une cuisine bourgeoise influencée par la gastronomie occidentale. Le second fut l'impact des habitudes alimentaires des cours royales tant sur les cuisines russe et polonaise, qui finirent par toucher la bourgeoisie.

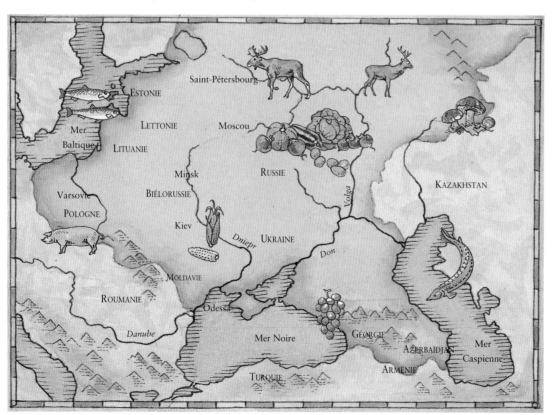

CI-CONTRE – *Les recettes présentées dans cette section couvrent une région qui s'étend de la mer Baltique au nord à la mer Caspienne et à la mer Noire au sud. De la Russie, des pays Baltes et de la Pologne au nord, jusqu'à la frontière de la Turquie et du Moyen-Orient, en passant par l'Ukraine, ces recettes reflètent l'extraordinaire diversité et les caractéristiques gastronomiques de la nourriture d'Europe centrale.*

À DROITE – *Cuisson traditionnelle de la viande à Iakoutsk, en Russie.*

LES COURS ROYALES

La cour polonaise fut particulièrement florissante au XVIᵉ siècle, lorsque l'Empire polonais s'étendait de la Baltique à la mer Noire et qu'une minorité profitait largement d'une culture politique et artistique, riche en contacts avec l'Europe de la Renaissance. Les liens avec l'Italie étaient particulièrement étroits, en raison du mariage de la reine Bona Sforza, une Italienne, avec le roi Sigismond en 1518 ; dans ses bagages, elle apporta notamment des idées gastronomiques inédites en Pologne.

En conséquence, on fit planter des légumes du sud de l'Europe dans les jardins du palais royal, à Cracovie. Le nom de Bona Sforza est également associé aux glaces, pâtes et gâteaux polonais – la *babka* n'étant qu'une version polonaise du *panettone* italien.

Au XIXᵉ siècle, l'accès aux ouvrages culinaires français favorisa l'apparition d'une cuisine polonaise plus variée que son équivalent russe, notamment en ce qui concerne les sauces et la recherche des saveurs. Dans le même temps cependant, l'aristocratie russe se préoccupa de «franciser» sa cuisine, et la cour comme l'aristocratie se firent un devoir d'employer des chefs français pour cuisiner des plats élaborés, faisant grand usage de crème et de beurre. Antoine Carême, cuisinier d'Alexandre Iᵉʳ (qui fut empereur de 1801 à 1825) entreprit de réhabiliter la gastronomie russe, mission poursuivie par quatre générations de chefs étrangers jusqu'à la révolution russe.

En règle générale cependant, il exista toujours une opposition à ces influences extérieures, et les palais «patriotiques» préféraient les pains, céréales et soupes traditionnelles. Notamment le *borchtch,* pour ne citer qu'un exemple, la très célèbre soupe aux betteraves dont il est impossible de limiter géographiquement l'origine à un pays déterminé. Il est servi en consommé ou en soupe épaisse.

En revanche, les Russes ont intégré dans leurs habitudes alimentaires, les *zakouskis* – emprunt fait à la Scandinavie pendant le règne de Pierre Iᵉʳ, initié aux coutumes occidentales (il fut tsar de 1682 à 1725). Ces *zakouskis,* ou hors-d'œuvre, qui sont généralement accompagnés d'une vodka glacée, méritent leur réputation, en particulier lorsque l'on sert du caviar.

INGRÉDIENTS

LÉGUMES ET CHAMPIGNONS

Les concombres, fermes et savoureux, sont utilisés en salade ou conservés dans le sel pour l'hiver. Les autres légumes sont : betteraves, pommes de terre, carottes, navets et chou frais ; tous poussent bien en climat froid et peuvent se conserver toute l'année. On fait aussi fermenter le chou blanc dans la saumure, avec des épices, pour la célèbre choucroute. Quant aux ciboules, tant les bulbes que les pointes vertes contribuent à la saveur des salades composées de l'est de l'Europe.

La cueillette aux champignons s'effectue dans les forêts de cette région, qui abritent de nombreuses variétés. Les champignons sont soit séchés, puis incorporés aux soupes et aux sauces, soit salés, ou encore conservés dans le vinaigre pour être dégustés avec du pain et de la vodka. On les fait également revenir frais dans du beurre, avec des herbes, ou cuire en sauce avec de la crème aigre.

EN HAUT À GAUCHE (dans le sens des aiguilles d'une montre) – *Betteraves, choucroute, concombres molossol, cornichons et câpres.*

EN HAUT À DROITE (dans le sens des aiguilles d'une montre) – *Chou rouge, blanc et vert, betterave, concombres, champignons, navets, pommes de terre et carottes.*

CI-CONTRE, DE HAUT EN BAS – *Caviar noir et rouge, œufs de saumon, brochet, saumon, carpe et hareng.*

POISSONS

Le plus célèbre poisson de la région appartient à la famille des esturgeons. Parmi eux, le béluga et le sévruga produisent le caviar noir le plus prisé. Les variétés de saumon frais jouent également un rôle majeur, tant pour leur chair ferme que pour leur caviar rouge, si souvent présent sur les tables de *zakouskis*. La carpe est très appréciée en Pologne et fait aujourd'hui l'objet d'un élevage intensif. Quant au hareng, il est partout populaire, même s'il est surtout disponible en conserve. Le brochet, la perche et le sandre – les principaux poissons d'eau douce – enfin, à la chair blanche très ferme, conviennent bien aux pâtés et à la cuisson au four.

PRODUITS LAITIERS

La crème aigre remplace l'huile dans l'assaisonnement des salades de légumes crus ou cuits. Elle constitue un accompagnement indispensable des soupes et des crêpes et elle est à la base de plats en sauce récents comme le bœuf Strogonoff. Elle est également utilisée pour cuire gâteaux et biscuits.

Les fromages traditionnels de l'est de l'Europe sont au lait de vache ; ils sont généralement jeunes et doux. Le fromage frais sert à préparer de savoureux hors-d'œuvre et la *paskha*, la crème sucrée pascale. Le fromage frais se déguste aussi seul ou avec d'autres ingrédients, sous forme de petits pâtés salés et sucrés, ou pour farcir les pâtes et les gâteaux, et il est indispensable à la préparation du classique gâteau au fromage frais. Le *brynza*, similaire à la feta grecque, est un fromage frais saumuré consommé à travers toute l'Europe centrale. On le sert en entrée et il est employé dans les tourtes.

PLATS DE VIANDE

Le cochon de lait est l'un des mets de choix en Russie, tout comme le gibier à plumes appelé *riabtchik*, ou gélinotte. On fait un usage abondant du bœuf à braiser et cuit en ragoût. La saucisse polonaise est composée de porc et de veau de première qualité, condimentée avec de l'ail et des graines de moutarde.

CÉRÉALES

Le terme russe *kacha,* comme les noms voisins polonais et ukrainien, désigne toute céréale cuite. Semoule, millet, avoine et sarrasin sont ainsi dégustés au petit déjeuner, cuits dans de l'eau ou du lait, et servis avec du beurre. Le sarrasin, le riz, le millet ou l'orge accompagnent les plats salés. Le sarrasin de la famille de la rhubarbe est cuit en bouillie, ou *kacha,* et sa farine sert à confectionner les fameuses petites crêpes, ou blinis. Cultivé en abondance dans l'est de l'Europe, le sarrasin a une saveur fumée qui caractérise la cuisine paysanne traditionnelle.

Les pains au levain sont fabriqués avec de la farine de seigle fermentée au préalable. Grâce à cette technique, les miches, de couleur paille à noir, peuvent se conserver très longtemps et ont de grandes propriétés digestives. Le *borodinsky* russe est un pain noir à base de mélasse et dont la croûte est incrustée de graines de coriandre.

HERBES, ÉPICES ET CONDIMENTS

L'aneth – l'herbe la plus employée dans la cuisine de l'est de l'Europe – ajoute une fraîcheur distincte aux pickles, ainsi qu'aux salades et aux plats mijotés. Les feuilles soyeuses de l'aneth perdent beaucoup de leur saveur lorsqu'elles sont séchées. Les graines sont utilisées dans les plats de choucroute et dans les ragoûts. Les feuilles du persil plat entrent aussi largement dans la garniture des soupes et des salades, tandis que les tiges renforcent la saveur des bouillons et des bases de soupe. L'ail frais donne du piquant aux soupes et ragoûts, tandis que la moutarde et le raifort ajoutent une touche âcre aux plats de poisson et de viande.

FRUITS

Confitures et conserves de fruits et de légumes appartiennent à une tradition ancestrale en Europe centrale – par exemple, l'excellente confiture de prunes ou les tomates épicées dans le vinaigre. Des confitures moins épaisses, qui préservent les fruits entiers, comme la *varénié* de cassis, sont souvent

servies dans un petit pot avec le thé, ou pour accompagner un bol de *kacha,* au petit déjeuner.

BOISSONS

Les Russes boivent du thé qui est importé d'Extrême-Orient ou cultivé en Géorgie. Le thé est infusé dans un petit pot sur le dessus du samovar, puis dilué dans l'urne située en dessous. En Pologne, sous l'influence majeure de l'Europe centrale et de l'Italie, le café est plus populaire. Concernant l'alcool, la Russie et la Pologne se disputent le mérite d'être à l'origine de la vodka, fabriquée dans l'est de l'Europe depuis le XVe siècle. Distillée de préférence à partir de seigle, elle est ensuite purifiée et additionnée d'eau. On en rehausse la saveur en lui ajoutant de petites quantités d'orge, d'avoine, de sarrasin ou de blé, d'herbes ou d'écorce, voire du citron ou du poivre (la vodka au poivre est utilisée comme remède contre les rhumes). La vodka classique est conseillée en accompagnement des *zakouskis*; elle est servie glacée et s'avale d'un trait.

EN HAUT (dans le sens des aiguilles d'une montre) – *Aneth, persil plat, crème aigre, crème fraîche, raifort et têtes d'ail frais.*

CI-CONTRE (dans le sens des aiguilles d'une montre) – *Farine de sarrasin, semoule, flocons d'avoine entiers, orge perlé, millet et sarrasin cru (au centre).*

Solianka de champignons

Les saveurs acides du concombre molossol, des câpres et du citron ajoutent encore à l'âcreté de ce potage.

INGRÉDIENTS

Pour 4 personnes

- 2 oignons émincés
- 1,2 l de bouillon de légumes
- 450 g de champignons émincés
- 4 cuil. à café de purée de tomates
- 1 concombre molossol émincé
- 1 feuille de laurier
- 1 cuil. à soupe de câpres égouttées
- 1 pincée de sel
- 6 grains de poivre écrasés
- zestes de citron, olives vertes et brins de persil plat, pour garnir

1 Mettez les oignons dans une grande casserole avec 5 cl de bouillon de légumes. Faites cuire, en remuant de temps en temps, jusqu'à l'évaporation complète du liquide.

2 Ajoutez le reste de bouillon avec les champignons émincés. Portez à ébullition, couvrez et laissez mijoter à feu doux pendant 30 min.

3 Dans un petit bol, mélangez la purée de tomates avec 2 cuillerées à soupe de bouillon.

4 Versez le mélange dans la casserole avec le concombre, le laurier, les câpres, le sel et les grains de poivre. Laissez cuire à feu doux 10 min.

5 Répartissez la soupe dans des bols chauds. Décorez de quelques zestes de citron, d'olives et d'1 brin de persil.

Soupe de grand-père

Cette soupe est très digeste et convient bien aux personnes âgées, d'où son nom.

INGRÉDIENTS

Pour 4 personnes

- 1 gros oignon finement émincé
- 25 g de beurre
- 350 g de pommes de terre, pelées et coupées en dés
- 90 cl de bouillon de bœuf
- 1 feuille de laurier
- sel et poivre noir fraîchement moulu

Pour les nouilles

- 75 g de farine pour gâteau (levure incorporée)
- 1 pincée de sel
- 15 g de beurre
- 1 cuil. à soupe de persil frais ciselé, plus un peu pour garnir
- 1 œuf battu
- pain, pour servir

1 Dans un grand faitout, mettez à revenir l'oignon dans le beurre, à feu doux, 10 min. Il doit dorer légèrement.

2 Ajoutez les pommes de terre et faites cuire encore 2 à 3 min, puis versez le bouillon. Ajoutez le laurier, le sel et le poivre. Portez à ébullition, puis baissez le feu, couvrez et laissez mijoter 10 min.

ASTUCE

Évitez les pommes de terre nouvelles, telles la jaerla et l'ostara.

3 Pour préparer les nouilles, tamisez la farine et le sel dans une jatte, puis incorporez le beurre du bout des doigts. Ajoutez le persil puis l'œuf et mélangez le tout jusqu'à obtenir une pâte lisse.

4 Déposez des 1/2 cuillerées à café de pâte dans la soupe frémissante. Couvrez et laissez mijoter à feu doux encore pendant 10 min. Répartissez la soupe dans des assiettes chaudes, parsemez de persil, et servez immédiatement avec des morceaux de pain.

Œufs au caviar

Le caviar désigne les œufs
d'esturgeon, un poisson qui
fréquente les eaux de la mer
Caspienne. Il est souvent servi seul,
dans un bol posé sur de la glace
pilée, et accompagné de verres
de vodka glacée. On peut aussi
l'utiliser en garniture, comme
dans cette recette ukrainienne.

INGRÉDIENTS

Pour 4 personnes

- 6 œufs durs, coupés en deux dans
  le sens de la longueur
- 4 ciboules très finement émincées
- 2 cuil. à soupe de mayonnaise
- 1/4 cuil. à café de moutarde forte
- 25 g de caviar ou d'œufs de lump
  noirs
- sel et poivre noir fraîchement moulu
- brins d'aneth, pour garnir
- cresson, pour servir

1 Retirez le jaune des moitiés d'œufs.
Réduisez les jaunes d'œufs en pâte
lisse dans une jatte avec la ciboule, la
mayonnaise et la moutarde. Mélangez
bien, salez et poivrez.

2 Remplissez les blancs d'œufs avec la
préparation aux jaunes, puis disposez-les sur un plat de service. Garnissez le
dessus avec un peu de caviar avant de servir accompagné de cresson.

LES VARIÉTÉS DE CAVIAR

Les œufs du **beluga,** la variété d'esturgeon la plus représentée, sont gris perle, parfois jaunes.
L'**ossetra** ou **osciètre,** produit par un esturgeon plus petit, est un caviar doré intense ou vert bouteille.
Le **sevruga** est le moins cher des trois ; ses œufs gris foncé sont plus jeunes et nettement plus petits.
Les œufs du **lump** sont noirs ou orange. Les gros œufs de saumon, ou **keta,** sont orange vif.

Caviar d'aubergines

Le terme « caviar » est employé
pour décrire les pâtes et purées de
légumes cuits. L'aubergine est le
légume le plus généralement utilisé
sous cette forme, et de nombreuses
familles ukrainiennes possèdent
leur recette, dont elles gardent
jalousement le secret.

INGRÉDIENTS

Pour 4 à 6 personnes

- 1,5 kg d'aubergines
- 1 oignon finement haché
- 5 cuil. à soupe d'huile d'olive
- 1 gousse d'ail écrasée
- 450 g de tomates pelées et hachées
- 1 cuil. à café de jus de citron
- 15 cl de yaourt nature
- 1 cuil. à café de sel
- poivre noir fraîchement moulu
- ciboules, pour garnir
- tortillons de pain, pour servir

1 Préchauffez le four à 180 °C (th. 6).
Déposez les aubergines sur la grille
huilée de la lèchefrite. Faites cuire au four
25 à 30 min, jusqu'à ce que les aubergines
soient bien molles. Laissez refroidir.

2 Faites revenir l'oignon et l'ail dans
1 cuillerée à soupe d'huile pendant
10 min à feu doux.

3 À l'aide d'une cuillère, retirez la chair
des aubergines, puis réduisez-la en
purée lisse au mixer. L'appareil toujours
en marche, incorporez le reste d'huile.

4 Versez la purée d'aubergines dans
une jatte. Incorporez les oignons, les
tomates, le jus de citron et le yaourt. Salez
et poivrez. Couvrez de film plastique et laissez 4 h au réfrigérateur. Garnissez de ciboule et servez avec des tortillons de pain.

Pâté de hareng

De grandes quantités de harengs sont pêchées dans la mer Baltique, au nord de la Pologne. Traditionnel hors-d'œuvre polonais, la *pasta sledziowa* est généralement servie avec de petits verres de vodka glacée.

INGRÉDIENTS

Pour 4 personnes

- 2 harengs frais, dépiautés et en filets
- 50 g de beurre ramolli
- 1 cuil. à café de sauce au raifort crémeuse
- poivre noir fraîchement moulu

Pour servir

- 4 tranches de pain de seigle
- 1 petit oignon coupé en rondelles
- 1 pomme de table rouge, évidée et émincée
- 1 cuil. à soupe de jus de citron
- 3 cuil. à soupe de crème aigre

1 Coupez les harengs en petits morceaux, puis mettez-les dans le bol du mixer avec le beurre, la sauce au raifort et le poivre. Réduisez en purée lisse.

2 Déposez la purée de hareng dans une jatte. Couvrez de film plastique et laissez au réfrigérateur au moins 1 h.

3 Pour servir, étalez le pâté sur du pain de seigle, ajoutez 1 à 2 rondelles d'oignon et les lamelles de pomme arrosées de jus de citron, puis garnissez d'1 cuillerée de crème aigre et d'aneth.

Biscuits de pommes de terre

Ces biscuits polonais, les *paluszki*, sont délicieux servis chauds ou froids avec une soupe ou bien seuls, en-cas.

INGRÉDIENTS

Pour 30 biscuits

- 115 g de beurre ramolli
- 115 g de pommes de terre écrasées
- 150 g de farine de blé, plus un peu pour saupoudrer
- 1/2 cuil. à café de sel
- 1 œuf battu
- 2 cuil. à café de graines de carvi

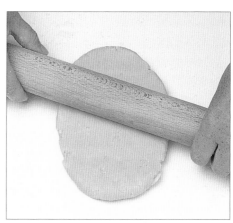

1 Préchauffez le four à 220 °C (th. 8). Déposez le beurre et les pommes de terre écrasées dans une grande jatte. Incorporez la farine et le sel, puis mélangez jusqu'à obtenir une pâte molle.

2 Pétrissez la pâte quelques secondes sur une surface légèrement farinée. Elle doit être bien lisse. Enveloppez-la ensuite de film plastique et laissez-la reposer au réfrigérateur pendant 30 min.

3 Abaissez la pâte sur une surface farinée sur une épaisseur de 8 mm. Badigeonnez-la d'œuf battu, puis coupez-la en bandelettes de 2 × 7,5 cm. Posez les bandelettes sur une plaque à four huilée et parsemez de graines de carvi.

4 Faites légèrement dorer au four, 12 min. Transférez les biscuits sur une grille et laissez refroidir. Conservez-les dans un récipient hermétique.

Pirojki

Les *pirojki* faits maison sont appréciés par tous. Ils ont belle allure empilés sur une assiette avec leur appétissante couleur dorée.

Ingrédients

Pour 35 pirojki

- 225 g de farine blanche
- 1/2 cuil. à café de sel
- 1/2 cuil. à café de sucre en poudre
- 1 cuil. à café de levure de boulanger
- 2 cuil. à soupe de beurre ramolli
- 1 gros œuf battu (réservez une petite quantité)
- 9 cl de lait chaud

Pour la farce

- 1 petit oignon finement haché
- 175 g de poulet émincé
- 1 cuil. à soupe d'huile de tournesol
- 5 cuil. à soupe de bouillon de poule
- 2 cuil. à soupe de persil frais ciselé
- 1 pincée de noix de muscade râpée
- sel et poivre noir fraîchement moulu

1 Dans une grande jatte, tamisez la farine, le sel et le sucre. Incorporez la levure, puis faites un puits au centre.

2 Ajoutez le beurre, l'œuf et le lait, et mélangez en une pâte molle. Transférez la pâte sur une surface farinée et pétrissez-la 10 min, afin qu'elle soit souple.

3 Déposez la pâte dans une jatte, couvrez de film plastique et laissez lever dans un endroit chaud pendant 1 h. La pâte doit doubler de volume.

4 Faites revenir l'oignon et le poulet dans l'huile 10 min. Versez le bouillon et laissez frémir 5 min. Incorporez le persil, la noix de muscade, le sel et le poivre. Laissez refroidir.

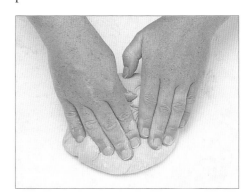

5 Préchauffez le four à 220 °C (th. 8). Abaissez la pâte sur une épaisseur de 3 mm. À l'aide d'un emporte-pièce, coupez des disques de 7,5 cm de diamètre.

6 Badigeonnez les bords des disques d'œuf battu. Déposez un peu de farce au centre, puis fermez. Laissez lever 15 min sur des plaques à four huilées, sous un film plastique. Badigeonnez-les du reste d'œuf battu, et cuisez-les au four 5 min. Baissez le thermostat à 190 °C (th. 6), et laissez les *pirojki* gonfler encore 10 min.

Blinis au sarrasin

Généralement consommés pendant
la semaine de jeûne précédant
le carême, ils sont accompagnés
de garnitures salées : crème aigre
et caviar sont les plus fameux.

INGRÉDIENTS

Pour 4 personnes

- 75 g de farine de blé
- 50 g de sarrasin ou de farine complète
- 1/2 cuil. à café de sel
- 1 cuil. à café de levure de boulanger
- 18 cl de lait chaud
- 2 cuil. à soupe de beurre fondu
- 1 œuf, blanc et jaune séparés
- 3 cuil. à soupe d'huile

Pour les garnitures

- 15 cl de crème aigre
- 2 cuil. à soupe d'aneth frais ciselé
- 4 cuil. à soupe d'œufs de lump rouges
  ou noirs
- 115 g de maquereau fumé, dépiauté,
  émietté et les arêtes retirées
- 50 g de beurre ramolli
- le zeste finement râpé d'1/2 citron
- lanières de zestes de citron,
  pour garnir
- quartiers de citron, pour servir

1 Tamisez les farines et le sel dans une
grande jatte, puis ajoutez le son resté
dans le tamis. Incorporez la levure, puis
faites un puits au centre.

2 Versez peu à peu le lait en battant
jusqu'à obtenir une pâte lisse. Couvrez de film plastique et laissez lever 1 h.
La pâte doit doubler de volume.

3 Ajoutez le beurre fondu et le jaune
d'œuf. Fouettez le blanc d'œuf en
neige ferme et incorporez-le à la pâte.
Couvrez et laissez reposer 20 min.

4 Faites chauffer 1 cuillerée à soupe
d'huile dans une grande poêle à fond
épais, à feu moyen, puis déposez-y
4 cuillerées à soupe de pâte. Faites cuire
1 à 2 min.

5 Retournez les blinis et laissez-les cuire
encore 1 min. Ils doivent être bien
dorés sur les deux faces. Retirez les blinis
de la poêle et conservez-les dans un torchon pour qu'ils restent moelleux.

6 Répétez l'opération jusqu'à épuisement de la pâte, en ajoutant un peu
d'huile dans la poêle si nécessaire. Laissez
les blinis (environ 24) refroidir.

7 Disposez les blinis sur un plat de
service. Couvrez la moitié avec de la
crème aigre et de l'aneth. Ajoutez 1 cuillerée d'œufs de lump sur la crème.

8 Dans une autre jatte, mélangez le
maquereau fumé, le beurre et le zeste
de citron. Garnissez-en les blinis restants,
puis décorez-les de zestes de citron. Servez
avec des quartiers de citron.

Salade Olivier

Dans les années 1880, le chef français Olivier ouvrit un restaurant à Moscou, appelé l'*Hermitage*. Il devint l'un des lieux de restauration les plus célèbres de la ville. On y servait de nombreux plats innovants. Par la suite, Olivier publia un ouvrage de cuisine russe et donna son nom à la salade présentée ici.

INGRÉDIENTS

Pour 6 personnes

- 2 jeunes perdrix
- 6 baies de genièvre écrasées
- 40 g de beurre ramolli
- 2 petits oignons, chacun piqué de 3 clous de girofle
- 2 tranches de lard coupées en deux
- 10 petites pommes de terre nouvelles non pelées
- 1 concombre
- 2 petites laitues effeuillées
- 2 œufs durs coupés en quatre

Pour l'assaisonnement

- 1 jaune d'œuf
- 1 cuil. à café de moutarde forte
- 17 cl d'huile d'olive
- 4 cuil. à soupe de vinaigre de vin blanc
- sel et poivre noir fraîchement moulu

1 Préchauffez le four à 200 °C (th. 7). Disposez les perdrix dans un petit plat à four. Mélangez les baies de genièvre et le beurre, puis farcissez les volatiles avec la moitié du beurre et 1 oignon piqué d'1 clou de girofle.

2 Placez 2 tranches de lard sur les perdrix. Faites rôtir 30 min. Un jus rose doit s'en échapper lorsqu'on les pique avec une brochette.

3 Laissez refroidir, puis coupez les perdrix en tranches de 2,5 cm d'épaisseur.

4 Faites cuire les pommes de terre à l'eau salée 20 min environ. Elles doivent être tendres. Laissez-les refroidir, puis pelez-les et coupez-les en rondelles de 1 cm d'épaisseur.

VARIANTE

Vous pouvez remplacer le gibier par du rôti de bœuf froid.

5 Réservez quelques rondelles de concombre pour garnir. Coupez le reste du concombre en deux dans la longueur, retirez les graines et coupez-le en dés.

6 Pour l'assaisonnement, fouettez ensemble le jaune d'œuf, la moutarde, le sel et le poivre dans un petit bol. Incorporez l'huile d'olive en mince filet, sans cesser de fouetter, afin que l'assaisonnement épaississe, puis ajoutez le vinaigre.

7 Disposez les feuilles de laitue sur un plat de service. Mettez les tranches de perdrix, les rondelles de pommes de terre et les dés de concombre dans une jatte. Arrosez avec la moitié de l'assaisonnement et mélangez, puis placez au centre du plat.

8 Garnissez de rondelles de concombre réservées et de quartiers d'œufs durs. Servez avec le reste d'assaisonnement.

VIANDES ET VOLAILLES

Bien que l'on y consomme du bœuf, de la volaille et du gibier, le porc est de loin la viande la plus appréciée en Russie, Pologne et Ukraine. Les rôtis sont généralement marinés pour obtenir une viande tendre et succulente. Le porc est notamment le principal ingrédient du kielbasa, le célèbre saucisson polonais exporté dans le monde entier. Dans toute cette région, les périodes de pénurie ont obligé à faire preuve d'ingéniosité pour cuisiner des plats de viande savoureux, avec un minimum d'ingrédients. Les viandes sont souvent préparées avec des herbes, des épices et des légumes au vinaigre.

Raviolis au foie et au lard

Selon une vieille superstition ukrainienne, il suffit de compter les raviolis, ou *vareniki* pour que la pâte s'ouvre et que la farce s'en échappe.

Ingrédients

Pour 4 personnes

- 200 g de farine
- 2 pincées de sel
- 2 œufs battus
- 15 g de beurre fondu
- 1 œuf battu pour souder la pâte
- 1 cuil. à soupe d'huile de tournesol

Pour la farce

- 1 cuil. à soupe d'huile de tournesol
- 1/2 petit oignon finement émincé
- 120 g de lard fumé grossièrement émincé
- 250 g de foies d'agneau ou de poulet grossièrement émincés
- 2 cuil. à soupe de ciboulette fraîche ciselée, plus un peu pour garnir
- sel et poivre noir fraîchement moulu

1 Tamisez la farine et le sel dans une jatte. Faites un puits au centre. Ajoutez les œufs, le beurre et mélangez en pâte.

2 Sur une surface légèrement farinée, pétrissez la pâte 2 à 3 min, afin qu'elle soit lisse. Enveloppez-la de film plastique et laissez-la reposer 30 min.

3 Préparez la farce : mettez l'oignon à revenir avec l'huile dans une poêle, 5 min. Ajoutez le lard et laissez cuire encore 4 à 5 min. Incorporez les foies et faites-les dorer légèrement 1 min.

4 Versez la préparation au foie dans le bol du mixer et réduisez en hachis fin. Incorporez la ciboulette, salez et poivrez. Mélangez à nouveau au mixer pendant quelques secondes.

5 Abaissez la pâte sur une surface légèrement farinée sur une épaisseur de 3 mm. À l'aide d'un emporte-pièce, découpez des disques de 5 cm de diamètre.

6 Déposez 1 cuillerée à café de farce au milieu de chaque disque. Badigeonnez les bords de la pâte avec de l'œuf battu et repliez-les disques en 2 demi-lunes. Laissez sécher sur un torchon fariné pendant 30 min.

7 Portez une casserole d'eau salée à ébullition. Ajoutez l'huile, puis les raviolis. Faites bouillir 10 min, puis laissez cuire à feu doux. Lorsque les raviolis sont cuits, égouttez-les soigneusement et servez-les chauds, garnis de ciboulette ciselée et accompagnés de câpres fraîches.

Rôti de porc farci aux pommes

Jadis, un cochon de lait rôti, badigeonné de beurre ou de crème et servi avec une pomme dans la gueule, était l'un des plats traditionnels en Russie, lors de festivités. Ce rôti à la peau croustillante offre une variante moins onéreuse.

INGRÉDIENTS

Pour 6 à 8 personnes
- 1,75 kg de filet de porc désossé
- 30 cl de cidre sec
- 15 cl de crème aigre
- 1 cuil. et 1/2 à café de sel de mer

Pour la farce
- 25 g de beurre
- 1 petit oignon émincé
- 50 g de chapelure de pain blanc frais
- 2 pommes évidées, pelées et émincées
- 50 g de raisins secs
- le zeste finement râpé d'1 orange
- 1 pincée de clous de girofle réduits en poudre
- sel et poivre noir fraîchement moulu

1 Préchauffez le four à 220 °C (th. 8). Pour la farce, mettez à revenir l'oignon avec le beurre dans une poêle, 10 min. Lorsqu'il est cuit, incorporez-le au reste des ingrédients de la farce.

2 Déposez le filet de porc, côté peau contre la planche à découper. Pratiquez une entaille horizontale entre la viande et la couche extérieure de graisse, jusqu'à 2,5 cm des bords.

3 Garnissez l'intérieur de farce. Roulez la viande et ficelez-la. Entaillez la peau tous les 2 cm.

ASTUCE

N'arrosez pas le rôti au cours des 2 dernières heures de cuisson, afin que la peau reste croustillante.

4 Versez le cidre et la crème aigre dans une cocotte. Mélangez, puis ajoutez le rôti, la peau vers le fond. Laissez cuire, à découvert, au four, pendant 30 min.

5 Retournez le rôti, puis arrosez-le avec les sucs de cuisson et saupoudrez-le de sel marin. Laissez cuire 1 h en le badigeonnant à nouveau après 30 min de cuisson.

6 Réduisez la température du four à 180 °C (th. 6). Laissez cuire encore 1 h 30. Laissez le rôti reposer 20 min avant de le découper.

Hamburgers à la russe

Chaque famille possède sa version de hamburger, ou *kotleti*. La viande est façonnée en petites boulettes rondes, ou *bitki*, qui font des en-cas irrésistibles.

INGRÉDIENTS

Pour 4 personnes

- 120 g de chapelure de pain blanc frais
- 3 cuil. à soupe de lait
- 450 g de bœuf, d'agneau ou de veau, haché
- 1 œuf battu
- 2 cuil. à soupe de farine
- 2 cuil. à soupe d'huile de tournesol
- sel et poivre noir fraîchement moulu
- sauce tomate, pickles et oignons frits, pour servir

1 Déposez la chapelure dans une jatte, puis arrosez avec le lait. Laissez tremper pendant 10 min. Ajoutez la viande hachée, l'œuf, le sel et le poivre en mélangeant bien tous les ingrédients.

2 Divisez la préparation en 4 portions égales, puis aplatissez-les en formes ovales (10 × 5 cm). Recouvrez de farine.

3 Chauffez l'huile dans une poêle, puis faites revenir les hamburgers 8 min environ de chaque côté. Servez-les accompagnés de sauce tomate, de pickles et d'oignons frits.

Bœuf Strogonoff

C'est à la fin du XIXe siècle qu'Alexandre Strogonoff donna son nom à ce célèbre plat à base de viande de bœuf, d'oignons et de crème. Des pommes de terre frites en sont l'accompagnement traditionnel.

INGRÉDIENTS

Pour 4 personnes

- 450 g de bœuf (rumsteck ou filet)
- 1 cuil. à soupe d'huile de tournesol
- 25 g de beurre
- 1 oignon émincé
- 1 cuil. à soupe de farine
- 1 cuil. à café de purée de tomates
- 1 cuil. à café de moutarde forte
- 1 cuil. à café de jus de citron
- 15 cl de crème aigre
- sel et poivre noir fraîchement moulu
- herbes fraîches ciselées, pour garnir
- pommes de terre frites, pour servir

1 Placez le morceau de viande entre 2 morceaux de film plastique huilés. Aplatissez et attendrissez la viande en la battant doucement avec un rouleau à pâtisserie. Coupez-la ensuite en lamelles de 5 cm de long.

2 Chauffez le reste d'huile et la moitié du beurre dans une poêle, puis faites revenir le bœuf à feu vif pendant 2 min. Il doit dorer. Retirez la viande de la poêle avec une écumoire, en égouttant le jus.

3 Faites fondre le reste de beurre dans la poêle et mettez l'oignon à revenir à feu doux, pendant 10 min.

4 Saupoudrez l'oignon avec la farine, puis incorporez la purée de tomates, la moutarde, le jus de citron et la crème aigre. Remettez le bœuf dans la poêle et remuez jusqu'à ce que la sauce bouillonne. Salez et poivrez selon votre goût, parsemez d'herbes fraîches, puis servez aussitôt, accompagné de frites.

Bigos

Plat national polonais, le *bigos* sera encore meilleur préparé la veille.

Ingrédients

Pour 8 personnes

- 15 g de champignons séchés
- 250 g de pruneaux dénoyautés
- 250 g de porc maigre désossé
- 250 g de viande de gibier maigre, désossée
- 250 g de steak
- 250 g de saucisse *kielbasa (voir Astuce)*
- 25 g de farine
- 2 oignons émincés
- 3 cuil. à soupe d'huile d'olive
- 4 cuil. à soupe de madère sec
- 1 kg de choucroute crue
- 4 tomates pelées et concassées
- 4 clous de girofle
- 1 bâton de cannelle de 5 cm
- 1 feuille de laurier
- 1/2 cuil. à café de graines d'aneth
- 60 cl de bouillon
- sel et poivre noir fraîchement moulu

1 Dans une jatte, recouvrez entièrement les champignons séchés et les pruneaux d'eau bouillante. Laissez gonfler 30 min, puis égouttez soigneusement.

2 Coupez le porc, la viande de gibier, le steak et la saucisse en dés de 2,5 cm, puis passez-les dans la farine. Faites frire les oignons dans l'huile pendant 10 min, puis retirez-les.

3 Faites légèrement dorer la viande dans une cocotte, par petites quantités, 5 min environ. Sortez-la et réservez. Versez le madère dans la cocotte et laissez frémir 2 à 3 min en remuant.

4 Remettez la viande dans la cocotte avec les oignons, la choucroute, les tomates, les clous de girofle, la cannelle, la feuille de laurier, les graines d'aneth, les champignons et les pruneaux. Versez le bouillon, salez et poivrez.

5 Portez à ébullition, puis couvrez et laissez mijoter à feu doux 1 h 45 à 2 h. La viande doit être bien cuite. Découvrez en fin de cuisson pour permettre au liquide de s'évaporer et au ragoût d'épaissir. Servez aussitôt.

Astuce

La *kielbasa* est une saucisse de porc et bœuf aromatisée à l'ail, mais on peut la remplacer par une saucisse équivalente. Pour les champignons, utilisez de préférence des cèpes.

Kovbasa

Ces saucisses ukrainiennes peuvent se préparer plusieurs jours à l'avance et se conserver au réfrigérateur.

INGRÉDIENTS

Pour 6 personnes

- 450 g de viande de porc sans os
- 250 g de steak
- 110 g de gras de porc
- 2 œufs battus
- 2 cuil. à soupe de *peperivka (voir Astuce)* ou de vodka au poivre
- 1/2 cuil. à café de quatre-épices en poudre
- 1 cuil. à café de sel
- 1,75 litre environ de bouillon de poule
- persil frais, pour garnir
- purée de pommes de terre, pour servir

1 Hachez ensemble les viandes et le gras de porc à l'aide de la plus grosse lame du hachoir, puis hachez à nouveau la moitié du mélange, en utilisant cette fois une lame fine.

2 Mélangez les 2 hachis de viandes avec les œufs, la *peperivka,* le quatre-épices et le sel. Vérifiez l'assaisonnement en faisant frire un peu de préparation, puis goûtez. Rectifiez si nécessaire.

ASTUCE

Une très ancienne tradition ukrainienne consiste à épicer du whisky avec du poivre : c'est la *peperivka.* Ajoutez 3 piments de Cayenne piqués avec une fine brochette à 15 cl de whisky ou de bourbon et laissez macérer pendant au moins 48 h.

3 Façonnez le mélange en 2 saucisses, de 20 cm de long. Enveloppez-les dans une mousseline double beurrée et fermez avec une ficelle.

4 Faites frémir le bouillon dans une grande casserole. Mettez les saucisses à mijoter 35 à 40 min, à feu doux, en tournant souvent. Lorsque l'on pique les saucisses avec une brochette, les sucs qui s'en échappent doivent être clairs.

5 Laissez les saucisses dans le bouillon 20 min, puis retirez-les et laissez-les refroidir. Ôtez la mousseline et faites sauter les saucisses à l'huile. Garnissez de persil et servez avec de la purée de pommes de terre parsemée de beurre.

Gigot d'agneau au yaourt

Cette recette inhabituelle, à l'origine un mouton rôti lentement au charbon de bois, vient des steppes russes.

INGRÉDIENTS

Pour 6 personnes

- 1,75 kg de gigot d'agneau
- 4 grosses gousses d'ail coupées en lamelles
- 1 cuil. à café de grains de poivre
- 30 cl de yaourt nature
- 1 cuil. à soupe d'huile d'olive
- 1 cuil. à soupe d'aneth frais ciselé
- 30 cl de bouillon de légumes ou d'agneau
- 2 cuil. à soupe de jus de citron
- pommes de terre rôties, épinards cuits à l'eau et carottes nouvelles, pour servir

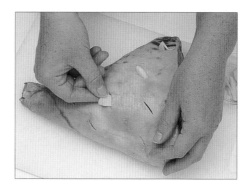

1 Pratiquez plusieurs entailles dans le gigot pour y insérer les lamelles d'ail.

2 Écrasez légèrement les grains de poivre à l'aide d'un pilon et d'un mortier, ou d'un rouleau à pâtisserie.

3 Mettez le yaourt, l'huile et les grains de poivre écrasés dans une jatte, puis ajoutez l'aneth et mélangez.

4 Étalez la préparation au yaourt sur le gigot. Déposez-le dans un plat en verre, couvrez de papier aluminium et laissez au réfrigérateur 1 à 2 jours, en retournant le gigot deux fois.

5 Placez le gigot dans un plat à four et laissez-le revenir à température ambiante. Préchauffez le four à 220 °C (th. 8). Retirez le papier aluminium. Versez le bouillon et le jus de citron, puis faites cuire à découvert 20 min.

6 Réduisez la température du four à 180 °C (th. 6), et faites rôtir encore 1 h 15 à 1 h 30, en badigeonnant de jus de temps en temps. Retirez le gigot du four et gardez-le à couvert, dans un endroit chaud, pendant 15 à 20 min avant de le découper. Utilisez les sucs de cuisson pour obtenir un jus d'accompagnement et servez le gigot avec des pommes de terre rôties, des épinards cuits à l'eau et des carottes nouvelles.

Plov à l'agneau

Plov est le nom russe pour ce plat de riz populaire dans toute l'Europe centrale, et connu sous diverses autres appellations – *pilau* en Turquie, et pilaf au Moyen-Orient.

INGRÉDIENTS

Pour 4 personnes

- 50 g de raisins secs
- 120 g de pruneaux dénoyautés
- 1 cuil. à soupe de jus de citron
- 25 g de beurre
- 1 gros oignon émincé
- 450 g de filet d'agneau, dégraissé et coupé en dés de 1 cm
- 250 g d'agneau maigre haché
- 2 gousses d'ail écrasées
- 60 cl de bouillon de légumes ou d'agneau
- 350 g de riz à grains longs
- 1 pincée généreuse de safran
- sel et poivre noir fraîchement moulu
- brins de persil plat, pour garnir

1 Déposez les raisins secs et les pruneaux dans un bol et couvrez avec suffisamment d'eau. Ajoutez le jus de citron et laissez tremper au moins 1 h. Égouttez, puis émincez grossièrement les pruneaux.

2 Faites chauffer le beurre dans une grande cocotte et mettez à revenir l'oignon pendant 5 min. Ajoutez le filet d'agneau, l'agneau haché et l'ail. Faites revenir 5 min en remuant constamment, jusqu'à ce que le mélange dore légèrement.

3 Versez 15 cl de bouillon. Portez à ébullition, puis réduisez le feu, couvrez et laissez mijoter pendant 1 h. La viande doit être cuite.

4 Versez le reste de bouillon et portez à ébullition. Ajoutez le riz et le safran. Remuez, puis couvrez et laissez mijoter pendant 15 min environ, jusqu'à ce que le riz soit cuit.

5 Incorporez les raisins, les pruneaux émincés, le sel et le poivre. Faites chauffer pendant quelques minutes, puis transférez sur un plat de service chaud et garnissez avec des brins de persil plat.

Boulettes de poulet à la polonaise

Le poulet est l'une des viandes les plus appréciées en Pologne. Vous pouvez utiliser une pintade pour retrouver la saveur faisandée du poulet polonais.

INGRÉDIENTS

Pour 12 personnes

- 120 g de champignons plats finement émincés
- 15 g de beurre fondu
- 50 g de chapelure de pain blanc frais
- 350 g de blancs de poulet ou de pintade, hachés
- 2 œufs, blancs et jaunes séparés
- 2 pincées de noix de muscade râpée
- 2 cuil. à soupe de farine
- 3 cuil. à soupe d'huile
- sel et poivre noir fraîchement moulu
- salade verte et betterave râpée, pour servir

1 Faites fondre le beurre dans une casserole, puis mettez à revenir les champignons 5 min, jusqu'à ce que leur eau se soit évaporée. Laissez refroidir.

2 Mélangez la chapelure, le poulet, les jaunes d'œufs, la noix de muscade, le sel, le poivre et les champignons.

3 Fouettez les blancs d'œufs en neige ferme. Incorporez la moitié de la préparation au poulet, puis ajoutez le reste.

4 Façonnez le mélange en 12 boulettes d'environ 7,5 cm de long et 2,5 cm de large. Roulez-les dans la farine.

5 Chauffez l'huile dans une poêle, puis faites frire les boulettes, ou *bitki,* pendant 10 min, en les retournant pour qu'elles dorent sur toutes les faces. Servez-les chaudes accompagnées d'une salade verte et de betterave.

Poulet Kiev

Il s'agit d'une recette russe récente. Ces blancs de poulet farcis au beurre à l'ail doivent être préparés longtemps à l'avance pour qu'ils aient le temps d'être réfrigérés.

INGRÉDIENTS

Pour 4 personnes

- 120 g de beurre ramolli
- 2 gousses d'ail écrasées
- le zeste finement râpé d'un citron
- 2 cuil. à soupe d'estragon frais ciselé
- 1 pincée de noix de muscade fraîchement râpée
- 4 blancs de poulet avec l'os de l'aile, dépiautés
- 1 œuf légèrement battu
- 120 g de chapelure de pain blanc frais
- huile pour friture
- sel et poivre noir fraîchement moulu
- quartiers de citron, pour garnir
- pommes de terre frites, pour servir

1 Dans une jatte, mélangez le beurre, l'ail, le zeste de citron, l'estragon et la noix de muscade. Salez et poivrez à votre goût. Façonnez le beurre en un bloc rectangulaire d'environ 5 cm de long, enveloppez-le dans du papier aluminium et mettez à réfrigérer 1 h.

2 Posez les blancs de poulet, peau vers le bas, sur du film plastique huilé. Couvrez-les de film plastique, puis aplatissez-les avec un rouleau à pâtisserie.

3 Coupez le beurre en 4 morceaux dans la longueur. Déposez 1 morceau au centre de chaque blanc de poulet, repliez l'escalope ainsi formée et fermez par des piques à cocktail.

4 Mettez l'œuf battu et la chapelure dans des petites assiettes séparées. Plongez les morceaux de poulet dans l'œuf battu, puis dans la chapelure. Répétez l'opération, puis disposez les morceaux sur une assiette et mettez-les à réfrigérer pendant au moins 1 h.

5 Chauffez l'huile dans une grande poêle ou dans une friteuse à 180 °C (th. 6). Faites frire les morceaux de poulet 6 à 8 min ; ils doivent être cuits, bien dorés et croustillants. Égouttez-les sur du papier absorbant et retirez les piques à cocktail. Servez chaud, garni de quartiers de citron et accompagné de pommes de terre frites.

Terrine au porc et au poulet

Servez ce délicat pâté ukrainien avec du pain chaud et croustillant.

INGRÉDIENTS

Pour 6 à 8 personnes

- 250 g de lard maigre, sans la couenne
- 400 g de blancs de poulet désossés et dépiautés
- 1 cuil. à soupe de jus de citron
- 250 g de porc maigre haché
- 1/2 petit oignon finement haché
- 2 œufs battus
- 2 cuil. à soupe de persil frais haché
- 1 cuil. à café de sel
- 1 cuil. à café de grains de poivre vert, écrasés
- salade verte, radis et quartiers de citron, pour servir

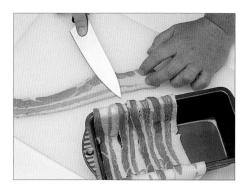

1 Préchauffez le four à 160 °C (th. 5). Déposez le lard sur une planche et aplatissez-le à l'aide de la lame d'un couteau de manière à ce que les tranches puissent recouvrir le fond et les côtés d'un moule à cake.

2 Coupez 120 g de poulet en bandelettes de 10 cm de long. Arrosez avec du jus de citron. Déposez le reste de poulet dans le bol du mixer avec le porc haché et l'oignon. Mélangez jusqu'à obtenir une purée suffisamment lisse.

3 Ajoutez les œufs, le persil, le sel et les grains de poivre, puis mélangez à nouveau brièvement au mixer. Transférez la moitié de la préparation dans le moule et lissez la surface.

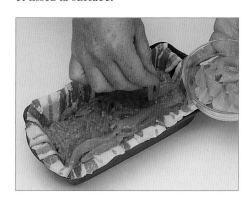

4 Disposez les bandelettes de poulet dessus, puis couvrez du reste de préparation à la viande et lissez. Donnez deux petits coups sur les côtés du moule pour éliminer d'éventuelles poches d'air.

5 Couvrez de papier aluminium huilé et posez le moule dans un plat à four. Versez de l'eau chaude dans le plat jusqu'à mi-hauteur du moule. Enfournez et faites cuire 45 à 50 min.

6 Laissez la terrine refroidir dans le plat avant de la démouler et de la mettre à réfrigérer. Servez-la coupée en tranches, avec une salade verte, des radis et des quartiers de citron.

Canette rôtie au miel

Une sauce à l'orange aigre-douce accompagne cette délicieuse recette polonaise. Les zestes d'orange frits en accentuent la saveur.

INGRÉDIENTS

Pour 4 personnes

- 1 canette de 2,5 kg environ, prête à cuire
- 1/2 cuil. à café de quatre-épices en poudre
- 1 orange
- 1 cuil. à soupe d'huile de tournesol
- 2 cuil. à soupe de farine
- 15 cl de bouillon de canard ou de poule
- 2 cuil. à café de vinaigre de vin rouge
- 1 cuil. à soupe de miel blond
- sel et poivre noir fraîchement moulu
- cresson et zestes d'orange finement coupés, pour servir

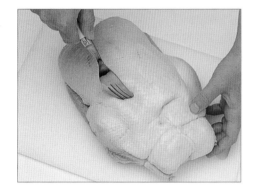

1 Préchauffez le four à 220 °C (th. 8). Avec une fourchette, piquez la canette en plusieurs endroits, sauf sur la poitrine, afin que la graisse s'écoule à la cuisson.

2 Frottez la peau de la canette avec le quatre-épices, puis saupoudrez-la de sel et de poivre.

3 Posez la canette sur la grille de la lèchefrite et faites cuire pendant 20 min environ. Réduisez ensuite la température du four à 190 °C (th. 6) et laissez cuire 2 h.

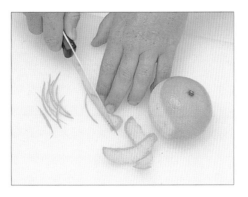

4 Prélevez le zeste de l'orange et coupez-le en très fine julienne. Faites chauffer l'huile dans une poêle et mettez à revenir, à feu doux, les zestes d'orange 2 à 3 min. Pressez le jus de l'orange et réservez-le.

5 Placez la canette dans un plat de service au chaud. Versez 2 cuillerées à soupe de graisse de cuisson dans une casserole, saupoudrez de farine et remuez. Incorporez le bouillon, le vinaigre, le miel, le jus et le zeste d'orange. Portez à ébullition en remuant, puis laissez frémir 2 à 3 min. Assaisonnez la sauce.

6 Servez la canette garnie de cresson et de zestes d'orange.

POISSONS

*Les mers du nord et du sud, les vastes lacs et les rivières
qui arrosent cette région fournissent du poisson en abondance,
préparé de multiples façons. Exportation russe la plus
renommée, le caviar provient des œufs d'esturgeons pêchés
dans la mer Caspienne. La mer Baltique offre en quantité
les harengs, diversement accommodés et servis toute l'année.
Toutefois, les poissons d'eau douce prédominent. Ils incluent
l'anguille, la perche, la tanche et le saumon, mais les plus appréciés
sont le brochet et la carpe — servis invariablement les jours de fête.*

Mousse au saumon et au brochet

Lorsqu'elle est coupée en tranches, cette mousse légère, *pate iz chtchuki*, révèle une jolie couche de saumon. Dans les grandes occasions, elle est garnie d'œufs de saumon.

INGRÉDIENTS

Pour 8 personnes

- 250 g de filets de saumon dépiautés
- 60 cl de fumet de poisson
- le zeste finement râpé et le jus d'1/2 citron
- 900 g de filets de brochet dépiautés
- 4 blancs d'œufs
- 50 cl de crème fraîche épaisse
- 2 cuil. à soupe d'aneth frais ciselé
- sel et poivre noir fraîchement moulu
- œufs de saumon rouges ou brins d'aneth, pour garnir (facultatif)

1 Préchauffez le four à 180 °C (th. 6). Tapissez un moule à cake avec du papier sulfurisé et badigeonnez d'huile.

2 Coupez le saumon en bandes de 5 cm de long. Versez le fumet et le jus de citron dans une casserole et portez à ébullition, puis éteignez le feu. Ajoutez le saumon et faites pocher pendant 2 min. Retirez avec une écumoire.

3 Coupez le brochet en dés, puis réduisez-les en purée lisse au mixer. Battez légèrement les blancs d'œufs en neige avec une fourchette. Le mixer toujours en marche, incorporez peu à peu les blancs d'œufs, puis la crème, le zeste de citron, l'aneth, le sel et le poivre.

4 Déposez la moitié de la purée de brochet dans le moule.

5 Disposez les bandes de saumon pochées sur la purée, puis recouvrez du reste de purée de brochet.

6 Couvrez le moule avec du papier aluminium et posez-le dans un plat à four. Ajoutez de l'eau chaude jusqu'à mi-hauteur du moule et faites cuire au four 45 à 50 min. La mousse doit être ferme.

7 Laissez refroidir sur une grille, puis mettez à réfrigérer au moins 3 h. Démoulez sur un plat de service et retirez le papier sulfurisé. Servez la mousse coupée en tranches et garnie de caviar de saumon rouge ou d'1 brin d'aneth.

Kulibiaka de saumon

Ce plat festif russe consiste en une couche de saumon et d'œufs sur un lit de riz parfumé à l'aneth, le tout entouré d'une croûte savoureuse.

INGRÉDIENTS

Pour 4 personnes

- 50 g de beurre
- 1 petit oignon haché
- 175 g de riz à longs grains, cuit
- 1 cuil. à soupe d'aneth frais ciselé
- 1 cuil. à soupe de jus de citron
- 450 g de pâte feuilletée, décongelée si nécessaire
- 450 g de filets de saumon, dépiautés et coupés en morceaux de 5 cm
- 3 œufs durs émincés
- 1 œuf battu, pour souder la pâte et dorer
- sel et poivre noir fraîchement moulu
- cresson, pour garnir

1 Préchauffez le four à 200 °C (th. 7). Dans une casserole, faites fondre le beurre, ajoutez l'oignon haché et faites revenir, à feu doux, 10 min.

2 Incorporez le riz cuit, l'aneth, le jus de citron, le sel et le poivre.

3 Abaissez la pâte sur une surface légèrement farinée en un carré de 30 cm de côté. Transférez la préparation au riz sur la moitié de la pâte, en préservant une bordure de 1 cm tout autour.

4 Déposez le saumon par-dessus, puis ajoutez les œufs.

5 Badigeonnez les bords de la pâte d'œuf battu, repliez la moitié de pâte sur la farce en un rectangle. Pressez fermement les bords pour les souder. Déposez soigneusement le *kulibiaka* sur une plaque à four légèrement huilée.

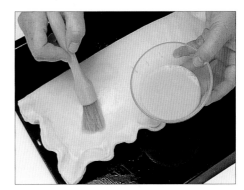

6 Dorez à l'œuf battu, puis percez la pâte en plusieurs endroits avec une brochette pour que la vapeur s'échappe pendant la cuisson.

7 Faites cuire au centre du four 40 min, en couvrant de papier aluminium après 30 min de cuisson. Laissez le *kulibiaka* refroidir sur la plaque, avant de le couper en tranches. Garnissez de cresson.

Filets de tanche braisés aux petits légumes

Poisson d'eau douce, la tanche est le plus petit des membres de la famille de la carpe. Sa chair est ferme et les arêtes sont rares. Dans cette recette polonaise, le mélange de légumes peut facilement être adapté selon le goût de chacun et en fonction de la saison.

INGRÉDIENTS

Pour 4 personnes

- 900 g de tanches, détaillées en filets et dépiautées
- 1 cuil. à soupe de jus de citron
- 75 g de beurre
- 1 oignon coupé en quartiers
- 1 branche de céleri émincée
- 1 carotte, coupée en deux dans le sens de la longueur et émincée
- 120 g de petits champignons de Paris coupés en deux
- 5 cl de bouillon de légumes
- sel et poivre noir fraîchement moulu

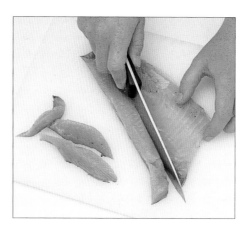

1 Coupez les filets de poisson en bandes d'environ 2,5 cm de largeur. Arrosez-les avec le jus de citron, salez et poivrez légèrement, et réservez.

2 Faites fondre le beurre dans une grande cocotte et mettez à revenir l'oignon pendant 5 min. Ajoutez le céleri, la carotte et les champignons, et laissez cuire encore 2 à 3 min, en remuant pour bien imprégner le tout de beurre.

3 Versez le bouillon dans la cocotte. Disposez le poisson sur les légumes en une seule couche. Couvrez la cocotte et laissez cuire, à feu très doux, pendant 25 à 30 min, jusqu'à ce que le poisson et les légumes soient cuits.

VARIANTE

On peut remplacer la tanche par une petite carpe, mais elle a souvent un goût de vase.

Carrelet à la sauce polonaise

Cette sauce n'a de polonais que son nom. Elle rassemble diverses recettes et, facile à préparer, convient bien à tous les poissons pochés, grillés ou cuits à la vapeur.

INGRÉDIENTS

Pour 4 personnes

- 4 filets de carrelet d'environ 250 g chacun
- 75 g de beurre
- 2 œufs durs émincés
- 2 cuil. à soupe d'aneth frais ciselé
- 1 cuil. à soupe de jus de citron
- sel et poivre noir fraîchement moulu
- rondelles de citron, pour garnir
- carottes nouvelles cuites à l'eau, pour servir

2 Faites griller à four modéré pendant 8 à 10 min, puis déposez-le sur un plat préchauffé.

3 Ajoutez les œufs, l'aneth et le jus de citron au beurre fondu restant. Chauffez 1 min à feu doux. Versez sur le poisson juste avant de servir. Garnissez avec des rondelles de citron et servez avec des carottes nouvelles cuites à l'eau.

1 Posez le poisson, la peau en dessous, sur une feuille de papier aluminium huilée tapissant une plaque à four. Faites fondre le beurre dans une petite casserole, puis badigeonnez-en légèrement le poisson. Salez et poivrez.

Babka de poissons

Ce pâté de poissons est allégé par des blancs d'œufs, qui lui donnent une texture de soufflé. Il est toutefois assez ferme et peut être démoulé au moment de servir.

Ingrédients

Pour 4 personnes

- 350 g de filets de poissons blancs, dépiautés et coupés en dés de 2,5 cm
- 50 g de pain blanc coupé en dés de 1 cm
- 25 cl de lait
- 25 g de beurre
- 1 petit oignon finement émincé
- 3 œufs, blancs et jaunes séparés
- 2 pincées de noix de muscade râpée
- 2 cuil. à soupe d'aneth frais ciselé, plus un peu pour garnir
- sel et poivre noir fraîchement moulu
- courgettes et carottes émincées, pour servir

1 Préchauffez le four à 180 °C (th. 6). Tapissez de papier sulfurisé beurré une terrine à pâté de 1,5 litre de contenance allant au four.

2 Déposez les dés de poissons dans une jatte. Ajoutez le pain, puis arrosez avec le lait et laissez tremper. Faites revenir l'oignon avec le beurre, 10 min, dans une petite casserole.

3 Laissez refroidir un peu, puis ajoutez à la préparation au poisson les jaunes d'œufs, la noix de muscade, l'aneth, le sel et le poivre. Mélangez bien le tout.

4 Battez les blancs d'œufs en neige ferme, puis incorporez-les au pâté de poissons.

5 Versez le pâté dans le plat. Couvrez avec du papier aluminium beurré et faites cuire au four 45 min.

6 Laissez le pâté reposer 5 min, puis décollez-le du moule avec un couteau. Démoulez le pâté, retirez le papier et coupez en quartiers. Garnissez d'aneth et accompagnez de courgettes et carottes.

Solianka à la moscovite

Ce plat de poisson et de légumes cuit au four porte le même nom qu'un des potages les plus renommés de Russie. Le mot « *Solianka* » exprime la saveur aigre des ingrédients.

INGRÉDIENTS

Pour 4 personnes

* 700 g d'anguille pelée, l'arête retirée
* 90 cl de fumet de poisson ou de bouillon de légumes
* 1,2 l d'eau
* 450 g de chou blanc émincé
* 50 g de beurre
* 1 gros oignon émincé
* 2 concombres molossol émincés
* 12 olives vertes
* 1 cuil. à soupe de câpres égouttées
* 75 g de chapelure de pain blanc frais
* sel et poivre noir fraîchement moulu
* brins de persil, pour garnir
* pommes de terre à l'eau, pour servir

1 Coupez l'anguille en gros tronçons. Dans un grand faitout, faites frémir le fumet (ou le bouillon), ajoutez l'anguille et laissez pocher pendant 4 min. Retirez l'anguille avec une écumoire. Réservez 15 cl de fumet (ou de bouillon), laissez le reste dans le faitout.

2 Versez l'eau dans le faitout contenant le fumet (ou le bouillon). Portez à ébullition, puis ajoutez le chou. Laissez frémir pendant 2 min, puis égouttez soigneusement le chou.

3 Mettez l'oignon à revenir avec la moitié du beurre dans une casserole.

4 Incorporez le chou et le fumet (ou le bouillon) réservé, et portez à ébullition. Couvrez et laissez cuire à feu doux pendant 1 h. Salez et poivrez.

5 Préchauffez le four à 200 °C (th. 7). Déposez la moitié du chou dans un plat à four, avec l'anguille et les concombres. Couvrez du reste de chou et versez le reste de fumet (ou de bouillon).

6 Parsemez le dessus d'olives, de câpres et de chapelure. Faites fondre le reste de beurre et arrosez le plat. Cuisez au four 25 à 30 min, afin que le dessus dore légèrement. Garnissez de brins de persil et servez avec les pommes de terre.

Filets de poisson farcis

Ce plat peut également être préparé avec du merlan ou de la perche. Leur saveur délicate est relevée avec du citron et du thym.

INGRÉDIENTS

Pour 4 personnes

- 8 filets de sole d'environ 200 g, dépiautés
- 3 cuil. à soupe d'huile d'olive
- 1 cuil. à soupe de jus de citron
- 25 g de beurre
- 175 g de champignons de Paris finement émincés
- 4 filets d'anchois finement émincés
- 1 cuil. à café de thym, plus un peu pour garnir
- 2 œufs battus
- 120 g de chapelure de pain blanc frais
- huile pour friture
- sel et poivre noir fraîchement moulu
- endives braisées, pour servir

1 Disposez les filets de poisson en une couche dans un plat en verre. Mélangez l'huile et le jus de citron et arrosez le poisson. Couvrez de film plastique et laissez mariner au réfrigérateur au moins 1 h.

2 Faites fondre le beurre dans une poêle, puis mettez à revenir les champignons à feu doux 5 min, afin qu'ils rendent leur eau. Incorporez ensuite les anchois, le thym, salez et poivrez.

3 Étalez le mélange sur les filets de poisson. Roulez les filets et fixez-les avec des piques à cocktail.

ASTUCE

Pour dépiauter les filets, séparez la chair de la peau avec un couteau, en maintenant ce dernier parallèle au poisson et la peau tendue.

4 Plongez chaque filet dans l'œuf battu, puis dans la chapelure. Répétez l'opération. Chauffez l'huile à 180 °C (th. 6).

5 Faites frire en deux fois pendant 4 à 5 min. Le poisson doit être doré et suffisamment cuit. Égouttez les filets sur du papier absorbant. Retirez les piques à cocktail, saupoudrez de thym et servez accompagné d'endives braisées.

Carpe à la sauce verte au raifort

La carpe est un poisson d'eau douce très apprécié dans la cuisine polonaise. Elle est traditionnellement servie à Noël.

INGRÉDIENTS

Pour 4 personnes

- 700 g de carpe dépiautée et en filets
- 3 cuil. à soupe de farine
- 1 œuf battu
- 120 g de chapelure de pain blanc frais
- huile de tournesol, pour frire
- sel et poivre noir fraîchement moulu
- quartiers de citron, pour servir

Pour la sauce

- 15 g de raifort frais finement râpé
- 1 pincée de sel
- 15 cl de crème fraîche épaisse
- 1 botte de cresson, lavé, équeuté et finement haché
- 2 cuil. à soupe de ciboulette fraîche ciselée
- 2 œufs durs hachés (facultatif)

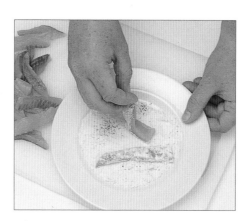

1 Coupez le poisson en bandelettes d'environ 6 cm de long sur 1 cm d'épaisseur. Salez et poivrez la farine. Plongez les bandelettes de poisson dans la farine, l'œuf battu, puis la chapelure.

2 Chauffez de l'huile sur 1 cm de hauteur, dans une poêle. Faites frire le poisson par petites quantités 3 à 4 min, jusqu'à ce qu'il soit bien doré. Égouttez sur du papier absorbant et réservez au chaud pendant que le reste cuit.

3 Pour la sauce, portez à ébullition le raifort, la crème fraîche, le cresson et le sel. Laissez mijoter 2 min. Ajoutez la ciboulette et, éventuellement, les œufs. Servez le poisson accompagné de la sauce.

Morue à la sauce au raifort

Un poisson cuit en sauce au four ne dessèche pas. Dans cette recette ukrainienne, la sauce piquante rehausse la saveur de la morue.

INGRÉDIENTS

Pour 4 personnes

- 4 filets épais de morue
- 1 cuil. à soupe de jus de citron
- 25 g de beurre
- 25 g de farine tamisée
- 15 cl de lait
- 15 cl de fumet de poisson
- sel et poivre noir fraîchement moulu
- brins de persil, pour garnir
- pommes de terre et ciboules frites, pour servir

Pour la sauce au raifort

- 2 cuil. à soupe de purée de tomates
- 2 cuil. à soupe de raifort frais râpé
- 15 cl de crème aigre

1 Préchauffez le four à 180 °C (th. 6). Disposez le poisson beurré sur une seule épaisseur dans un plat à four. Arrosez avec le jus de citron.

2 Faites fondre le beurre dans une petite casserole à fond épais. Incorporez la farine et faites cuire 3 à 4 min en remuant pour éviter que la farine attache. Retirez du feu.

3 Incorporez peu à peu le lait en fouettant, puis le fumet. Salez et poivrez. Portez à ébullition, toujours en remuant, et laissez mijoter 3 min, sans cesser de battre.

4 Versez ce mélange sur le poisson et faites cuire au four 20 à 25 min. Vérifiez la cuisson en piquant le poisson avec une brochette à l'endroit le plus épais : il est cuit si la chair est opaque.

5 Pour préparer la sauce au raifort, mélangez la purée de tomates, le raifort et la crème aigre dans une petite casserole. Portez doucement à ébullition, en remuant, puis laissez mijoter 1 min.

6 Versez la sauce au raifort dans un bol de service et servez avec le poisson. Ce dernier doit être très chaud. Garnissez-le de brins de persil et accompagnez-le de pommes de terre et de ciboules frites.

Sandre glacé au concombre

Ce plat russe en gelée fera
forte impression sur votre table,
lors de grandes occasions.

INGRÉDIENTS

Pour 8 à 10 personnes

- 1 sandre de 2,25 à 2,75 kg
- 2 cuil. à soupe d'huile de tournesol
- 2 feuilles de laurier
- 8 grains de poivre
- 1 citron coupé en rondelles
- 30 cl de vin blanc
- 25 g de gelée en sachet
- 2 concombres, coupés
  en fines rondelles
- sel et poivre noir fraîchement moulu
- brins d'aneth et quartiers de citron,
  pour garnir
- mayonnaise, pour servir

1 Lavez le sandre à l'eau froide. Coupez
les nageoires aux ciseaux. Salez et poivrez l'intérieur du poisson. Badigeonnez
l'extérieur d'huile pour protéger la peau
pendant la cuisson.

2 Placez le poisson sur une grille au-
dessus d'un large plat. Ajoutez les
feuilles de laurier, les grains de poivre
et les rondelles de citron. Versez le vin
et suffisamment d'eau pour le recouvrir.

3 Couvrez d'un couvercle ou de papier
aluminium huilé. Portez à ébullition
et laissez mijoter 10 min, à feu très doux.
Éteignez le feu et laissez le sandre refroidir, toujours à couvert.

4 Déposez délicatement le sandre sur
un grand plat de service. Dépiautez-
le en conservant la queue et la tête intactes.

5 Préparez la gelée en la faisant fondre
dans de l'eau bouillante. Laissez-la
refroidir et badigeonnez-en généreusement le poisson.

6 Disposez les rondelles de concombre
sur le poisson et badigeonnez de nouveau de gelée. Laissez prendre, puis garnissez d'aneth et de citron. Servez avec la
mayonnaise à part.

ASTUCE

On peut cuire de la même façon
un saumon ou une truite saumonée.

LÉGUMES, CÉRÉALES ET PÂTES

Servis seuls ou en accompagnement, les légumes reflètent la dureté du climat russe, polonais et ukrainien. Chou, betterave, rutabaga et navet sont les ingrédients de base, souvent conservés dans le sel ou la saumure. Les champignons sont très appréciés ; leur cueillette dans les gigantesques forêts de la région est l'un des passe-temps favoris de la population. Les pommes de terre sont également très présentes, en particulier dans la cuisine polonaise, de même que les céréales, en particulier le sarrasin, le seigle et l'orge. Enfin, on trouve quantité de pâtes farcies à la viande ou au fromage.

Boulettes de pommes de terre à la polonaise

Moins utilisées que les céréales, les pommes de terre sont cependant souvent présentes dans la cuisine polonaise. Elles furent introduites en Pologne sous le règne de Jean Sobieski, au XVIIᵉ siècle.

INGRÉDIENTS

Pour 4 personnes

- 450 g de pommes de terre, pelées et coupées en gros morceaux
- 25 g de beurre
- 1 petit oignon émincé
- 3 cuil. à soupe de crème aigre
- 2 jaunes d'œufs
- 25 g de farine
- 1 œuf battu
- 25 g de chapelure de pain blanc frais
- sel et poivre noir fraîchement moulu

1 Préchauffez le four à 180 °C (th. 6). Faites cuire les pommes de terre à l'eau salée 20 min. Égouttez-les et réduisez-les en purée. Laissez refroidir quelques minutes. Pendant ce temps, faites fondre le beurre dans une petite casserole et mettez l'oignon à revenir pendant 10 min.

2 Incorporez l'oignon à la purée de pommes de terre, puis ajoutez la crème et les jaunes d'œufs.

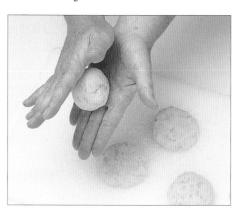

3 Tamisez la farine sur la purée et mélangez bien le tout. Salez et poivrez généreusement. Façonnez la purée en boulettes, puis aplatissez-les en galettes de 6 cm de diamètre.

4 Posez-les sur une plaque à four légèrement huilée et badigeonnez-les d'œuf battu. Saupoudrez de chapelure et faites cuire au four 30 min. Elles doivent prendre une belle couleur dorée.

Pampouchki

Lorsque l'on ouvre ces boulettes croustillantes à la pomme de terre, il s'en échappe une délicieuse farce au fromage et à la ciboulette.

INGRÉDIENTS
Pour 4 personnes
- 700 g de pommes de terre pelées
- 250 g de pommes de terre cuites, en purée
- 1/2 cuil. à café de sel
- 75 g de fromage frais
- 2 cuil. à soupe de ciboulette fraîche ciselée
- poivre noir fraîchement moulu
- huile pour friture

1 Râpez grossièrement les pommes de terre crues. Déposez dans une jatte la purée de pommes de terre, le sel et le poivre. Mélangez le tout. Dans une autre jatte, mélangez le fromage frais et la ciboulette.

2 À l'aide d'une cuillère, prélevez 1 portion de purée de la grosseur d'un petit œuf, puis aplatissez-la en galette.

3 Déposez 1 cuillerée à café de farce au fromage au centre d'une galette, puis repliez les bords en les pinçant fermement pour les souder. Confectionnez de même 11 autres boulettes.

4 Chauffez l'huile à 170 °C. Faites frire les boulettes 10 min, afin qu'elles soient croustillantes. Égouttez sur du papier absorbant et servez chaud.

ASTUCE

Les *pampouchki* sont traditionnellement cuits dans du bouillon et de l'eau, puis servis avec une soupe. Pour les pocher, ajoutez 1 cuillerée à soupe de farine et 1 œuf battu à la purée et pochez les boulettes 20 min.

Galouchki

Les *galouchki* sont des morceaux de pâte cuits dans du lait ou du bouillon. C'est l'un des plats les plus populaires en Ukraine. Sains et nourrissants, les *galouchki* sont à base de farine de blé, de farine de sarrasin, de semoule ou de pommes de terre.

INGRÉDIENTS

Pour 4 personnes

- 250 g de farine
- 2 pincées de sel
- 25 g de beurre fondu
- 2 œufs battus
- 1 bouillon-cube de légumes
- 120 g de lardons, ou de lard fumé sans la couenne et émincé, pour servir

1 Tamisez la farine et le sel dans une jatte. Faites un puits au centre.

2 Ajoutez le beurre et les œufs et mélangez en une pâte. Pétrissez-la sur une surface farinée afin qu'elle soit souple.

3 Enveloppez-la de film plastique et laissez reposer pendant 30 min. Abaissez-la sur une surface légèrement farinée sur 1 cm d'épaisseur, puis découpez-la en carrés de 2 cm à l'aide d'une roulette à pâtisserie ou d'un couteau. Laissez sécher sur un torchon fariné pendant 30 min.

4 Émiettez le bouillon-cube dans une casserole d'eau bouillante. Ajoutez les *galouchki* et laissez mijoter pendant 10 min. Égouttez soigneusement.

5 Faites frire les lardons dans une poêle à fond antiadhésif pendant 5 min. Ils doivent être dorés et croustillants. Éparpillez-les sur les *galouchki* au moment de servir.

Boulettes au fromage

Faciles à préparer, ces boulettes sont souvent ajoutées aux soupes en Ukraine. Elles sont également servies avec de la viande, ou seules, comme plat à part entière.

INGRÉDIENTS

Pour 4 personnes

- 120 g de farine pour gâteaux (avec levure incorporée)
- 25 g de beurre
- 25 g de feta émiettée, de *brynza* sec (fromage au lait de chèvre) ou d'un mélange de chester et de parmesan
- 2 cuil. à soupe d'herbes fraîches ciselées
- 6 cl d'eau froide
- sel et poivre noir fraîchement moulu
- brins de persil, pour garnir

Pour la garniture

- 40 g de beurre
- 50 g de chapelure de pain blanc sec

1 Tamisez la farine dans une jatte. Incorporez le beurre jusqu'à obtenir une sorte de chapelure fine.

2 Ajoutez le fromage et les herbes. Salez et poivrez. Versez l'eau froide et mélangez jusqu'à l'obtention d'une pâte ferme. Façonnez-la en 12 boulettes.

3 Faites bouillir de l'eau salée. Mettez les boulettes à pocher, à couvert et à feu doux, pendant 20 min. Elles doivent être légères et gonflées.

4 Pour préparer la garniture, faites fondre le beurre dans une poêle. Ajoutez la chapelure et faites cuire 2 à 3 min, jusqu'à ce qu'elle soit dorée et croustillante. Retirez les boulettes avec une écumoire et parsemez-les de chapelure. Servez garni de brins de persil.

Dratchena

À mi-chemin entre l'omelette et la crêpe, cette savoureuse *dratchena* russe est souvent servie en dessert. Les légumes sont alors supprimés et on lui ajoute du sucre ou du miel.

INGRÉDIENTS

Pour 2 à 3 personnes

- 1 cuil. à soupe d'huile d'olive
- 1 bouquet de ciboules émincées
- 1 gousse d'ail écrasée
- 4 tomates, pelées, épépinées et concassées
- 3 cuil. à soupe de farine de seigle complète
- 6 cl de lait
- 1,5 cl de crème aigre
- 4 œufs battus
- 2 cuil. à soupe de persil frais ciselé
- 25 g de beurre fondu
- sel et poivre noir fraîchement moulu
- salade verte, pour servir

1 Préchauffez le four à 180 °C (th. 6). Faites chauffer l'huile dans une poêle, puis mettez les ciboules à revenir à feu doux pendant 3 min. Ajoutez l'ail et laissez cuire encore 1 min.

2 Parsemez le fond d'un plat à four de 20 cm de diamètre, légèrement huilé, avec les ciboules et l'ail, puis recouvrez avec les tomates.

3 Dans une jatte, mélangez la farine et le lait en une pâte lisse. Incorporez peu à peu la crème aigre, puis les œufs. Ajoutez ensuite le persil et le beurre fondu. Salez et poivrez.

4 Versez la préparation aux œufs sur les légumes. Faites cuire au four pendant 40 à 45 min. Tout liquide doit s'être évaporé lorsque l'on plonge un couteau au milieu de l'omelette.

5 Glissez la lame d'un couteau entre le bord du plat et l'omelette pour la décoller. Coupez-la en portions et servez aussitôt avec une salade verte.

Orge aux petits légumes

L'orge perlé est l'une des plus anciennes céréales; elle a une saveur noisetée et une texture farineuse. Mélangée à certains légumes, elle constitue un plat copieux.

INGRÉDIENTS

Pour 4 personnes

- 250 g d'orge perlé
- 2 cuil. à soupe d'huile de tournesol
- 1 gros oignon émincé
- 2 branches de céleri émincées
- 2 carottes coupées en rondelles
- 250 g de rutabagas ou de navets coupés en dés
- 250 g de pommes de terre coupées en dés
- 50 cl de bouillon de légumes
- sel et poivre noir fraîchement moulu
- feuilles de céleri, pour garnir

1 Versez l'orge dans un verre gradué, puis ajoutez de l'eau jusqu'à 60 cl. Laissez tremper dans un endroit frais pendant au moins 4 h ou, de préférence, toute la nuit.

2 Chauffez l'huile dans une grande casserole, puis faites revenir l'oignon pendant 5 min. Ajoutez le céleri et les carottes et laissez cuire encore 3 à 4 min, jusqu'à ce que l'oignon commence à dorer légèrement.

3 Ajoutez l'orge avec son liquide de trempage. Incorporez ensuite les rutabagas, les pommes de terre et le bouillon de légumes. Salez et poivrez. Portez à ébullition, puis réduisez le feu et couvrez.

4 Laissez mijoter pendant 40 min : l'orge doit avoir absorbé presque tout le liquide. Remuez de temps en temps, en fin de cuisson, pour éviter que l'orge ne colle au fond de la casserole. Servez garni de feuilles de céleri.

Kacha de sarrasin

La *kacha* est le porridge russe. Il peut être composé de nombreuses céréales, dont le blé, l'orge, le millet et l'avoine. La plus appréciée est le sarrasin, pour sa saveur noisetée.

Ingrédients

Pour 4 personnes

- 175 g de sarrasin
- 75 cl de bouillon bouillant
- 25 g de beurre
- 1 pincée de noix de muscade râpée
- 120 g de lard fumé sans la couenne, émincé en lardons
- sel et poivre noir fraîchement moulu

1 Faites frire le sarrasin, à sec, dans une poêle à fond antiadhésif, pendant 2 min. Mouillez avec le bouillon.

ASTUCE

La *kacha* de sarrasin est également délicieuse avec des champignons sautés et idéale pour farcir un poulet rôti. Le sarrasin est souvent vendu déjà grillé ; dans ce cas, on peut l'incorporer directement au bouillon.

2 Laissez mijoter, à feu très doux, 15 à 20 min, en remuant de temps en temps pour éviter au sarrasin de coller. Lorsqu'il est presque sec, retirez-le du feu.

3 Ajoutez le beurre et assaisonnez avec la noix de muscade, le sel et le poivre. Couvrez la casserole et laissez reposer pendant 5 min.

4 Pendant ce temps, faites frire le lard dans une poêle à fond antiadhésif, 5 min. Il doit être doré et croustillant. Parsemez-en la *kacha* avant de la servir.

Millet des charretiers

À l'origine, ce plat était cuit sur un feu de bois par les charretiers lorsqu'ils traversaient les steppes du sud de l'Ukraine.

Ingrédients

Pour 4 personnes

- 250 g de millet
- 60 cl de bouillon de légumes
- 120 g de lard fumé sans la couenne, émincé en lardons
- 1 cuil. à soupe d'huile d'olive
- 1 petit oignon finement émincé
- 250 g de petits champignons des prés émincés
- 1 cuil. à soupe de menthe fraîche ciselée
- sel et poivre noir fraîchement moulu

1 Rincez le millet à l'eau froide. Transférez-le dans une casserole avec le bouillon, portez à ébullition, puis laissez mijoter à couvert 30 min. Le millet doit avoir absorbé le bouillon.

2 Faites dorer le lard dans une poêle à fond antiadhésif 5 min. Il doit être croustillant. Retirez du feu et réservez.

3 Versez l'huile dans la poêle et faites revenir l'oignon et les champignons 10 min. Ils doivent dorer légèrement.

4 Ajoutez le lard, l'oignon et les champignons au millet. Incorporez la menthe, salez et poivrez. Faites chauffer à feu doux 1 à 2 min avant de servir.

Betteraves à la crème aigre

Ce plat de légumes peut se déguster seul ; il est également idéal pour accompagner un poulet rôti ou du gibier.

INGRÉDIENTS

Pour 4 personnes
- 50 g de beurre
- 1 oignon émincé
- 2 gousses d'ail
- 700 g de betteraves crues pelées
- 2 grosses carottes pelées
- 120 g de champignons de Paris
- 30 cl de bouillon de légumes
- 1/2 citron
- 2 feuilles de laurier
- 1 cuil. à soupe de menthe fraîche ciselée
- sel et poivre noir fraîchement moulu
- brins de menthe, pour garnir (facultatif)

Pour l'assaisonnement chaud
- 15 cl de crème aigre
- 1/2 cuil. à café de paprika, plus 1 pincée pour garnir

1 Faites fondre le beurre dans une casserole, puis mettez l'oignon et l'ail à revenir 5 min. Coupez les betteraves et les carottes en dés. Râpez finement le zeste et pressez le jus du 1/2 citron. Ajoutez la betterave, les carottes et les champignons dans la casserole et faites revenir pendant 5 min.

ASTUCE

Protégez vos mains avec des gants pour préparer les betteraves. La cuisson des betteraves peut provoquer la décoloration de la casserole et du légume.

---

2 Versez le bouillon avec le zeste de citron et les feuilles de laurier. Salez et poivrez. Portez à ébullition, réduisez le feu, couvrez et laissez mijoter 1 h. Les légumes doivent être cuits.

3 Hors du feu, incorporez le jus de citron et la menthe ciselée. Laissez reposer 5 min à couvert, pour que les saveurs aient le temps de se développer.

4 Préparez l'assaisonnement. Chauffez la crème aigre et le paprika, à feu doux, en remuant constamment jusqu'à ce que le mélange commence à bouillonner. Mettez la préparation à la betterave dans un plat de service et arrosez de sauce. Garnissez de feuilles de menthe et de paprika. Servez immédiatement.

Uszka

Uszka signifie «petites oreilles» en polonais. Il s'agit ici de ravioles farcies aux champignons et servies avec une soupe claire. Elles sont également délicieuses seules, mélangées à du beurre fondu et des herbes fraîches ciselées.

INGRÉDIENTS

Pour 20 raviolis

- 75 g de farine
- 1 pincée de sel
- 2 cuil. à soupe de persil frais ciselé
- 1 jaune d'œuf
- 4 cl d'eau froide
- persil frais, pour garnir
- soupe claire ou beurre fondu aux herbes, pour servir

Pour la farce

- 25 g de beurre
- 1/2 petit oignon finement haché
- 50 de champignons hachés
- 1 blanc d'œuf
- 1 cuil. à soupe de chapelure
- sel et poivre noir fraîchement moulu

1 Tamisez la farine et le sel dans une jatte. Ajoutez le persil ciselé, le jaune d'œuf et l'eau, et travaillez en pâte. Pétrissez légèrement la pâte sur une surface farinée jusqu'à ce qu'elle soit souple.

2 Pour préparer la farce, faites fondre le beurre dans une casserole. Mettez l'oignon et les champignons à revenir 10 min, à feu doux. L'oignon doit être cuit. Laissez refroidir.

3 Fouettez légèrement le blanc d'œuf dans une jatte avec une fourchette. Ajoutez 1 cuillerée à soupe de blanc d'œuf aux champignons, puis la chapelure, du sel et du poivre. Mélangez bien.

4 Abaissez la pâte très finement sur une surface farinée. Découpez des carrés de 5 cm avec une roulette à pâtisserie ou un couteau, puis badigeonnez-les légèrement du reste de blanc d'œuf.

5 Déposez 1/2 cuillerée à café de farce au milieu de chaque carré de pâte. Repliez la pâte en deux de manière à former un triangle, puis pincez les bords extérieurs pour les souder.

6 Portez une casserole d'eau salée ou de bouillon à ébullition. Pochez délicatement les raviolis 5 min, par petites quantités. Égouttez-les et incorporez-les à une soupe ou parsemez-les de beurre aux herbes et servez.

Salade de concombre

Saler les concombres contribue à les faire dégorger, et par conséquent à les rendre plus fermes. Rincez-les suffisamment avant usage, ou votre salade sera trop salée. Ce plat ukrainien est idéal l'été, en accompagnement.

INGRÉDIENTS

Pour 6 à 8 personnes

- 2 concombres ciselés avec un couteau à canneler et coupés en fines rondelles
- 1 cuil. à café de sel
- 3 cuil. à soupe d'aneth frais ciselé
- 1 cuil. à soupe de vinaigre de vin blanc
- 15 cl de crème aigre
- poivre noir fraîchement moulu
- 1 brin d'aneth, pour garnir

1 Déposez les concombres dans une passoire au-dessus d'une jatte et saupoudrez-les de sel. Laissez dégorger pendant 1 h. Rincez soigneusement les concombres à l'eau froide et séchez-les avec du papier absorbant.

2 Transférez les rondelles de concombre dans une jatte, ajoutez l'aneth ciselé et mélangez bien le tout.

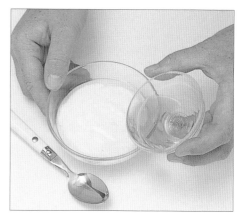

3 Dans une autre jatte, incorporez le vinaigre à la crème aigre, puis poivrez le mélange.

4 Versez la crème aigre sur les concombres et laissez au réfrigérateur pendant 1 h avant de les transférer dans un plat de service. Garnissez avec le brin d'aneth et servez.

Salade de betterave et de céleri

La betterave crue a un délicieux croustillant. Dans cette salade russe, sa saveur est mise en valeur par une marinade au cidre.

INGRÉDIENTS

Pour 4 à 6 personnes

- 450 g de betterave crue, pelée et râpée
- 4 branches de céleri finement émincées
- 2 cuil. à soupe de jus de pommes
- herbes fraîches, pour garnir

Pour l'assaisonnement

- 3 cuil. à soupe d'huile de tournesol
- 1 cuil. à soupe de vinaigre de cidre
- 4 ciboules finement émincées
- 2 cuil. à soupe de persil frais ciselé
- sel et poivre noir fraîchement moulu

1 Dans un saladier, mélangez la betterave, le céleri et le jus de pomme.

2 Déposez tous les ingrédients de l'assaisonnement dans un petit bol et fouettez avec une fourchette. Versez-en la moitié sur les ingrédients de la salade.

3 Arrosez le dessus de la salade avec le reste d'assaisonnement. Laissez mariner au moins 2 h avant de servir. Garnissez la salade avec des herbes fraîches.

DESSERTS ET PAINS

Les Russes, les Polonais et les Ukrainiens sont particulièrement friands de sucre comme le montre bien la variété de desserts, gâteaux, pâtisseries et pains de leur gastronomie. Les grandes occasions sont marquées par la préparation de mets spécifiques, comme la paskha russe et la babka polonaise. Miel et fruits à coque sont abondamment utilisés. Parmi les condiments appréciés figurent la cannelle, les clous de girofle et la cardamome, ainsi que les fruits confits, la vanille et le zeste de citron confit. Les fruits, en particulier ceux de verger, sont souvent d'une qualité exceptionnelle.

Koulitch

Le *koulitch* est servi uniquement
à Pâques en Russie, souvent en
remplacement du pain. Coupez-le
en rondelles, la première tranche
servant à lui conserver sa fraîcheur.

Ingrédients

Pour 4 personnes

- 500 g de farine blanche
- 1 pincée de sel
- 1 cuil. à café de cannelle en poudre
- 75 g de sucre en poudre
- 50 g de raisins secs
- 50 g de zestes confits
- 50 g d'amandes mondées et hachées
- 10 g de levure chimique sèche
- 30 cl de lait
- 50 g de beurre
- 1 œuf battu
- confiture, pour servir (facultatif)

Pour le glaçage

- 120 g de sucre glace
- 1 cuil. à soupe de jus de citron

1 Tamisez la farine, le sel et la cannelle
dans une grande jatte. Incorporez le
sucre, les raisins secs, les zestes confits, les
amandes et la levure de boulanger. Faites
un puits au centre.

2 Faites chauffer le lait et le beurre à feu
doux dans une casserole. Laissez
refroidir jusqu'à ce que le mélange soit
tiède. Réservez 1 cuillerée à café d'œuf
battu pour le glaçage, puis ajoutez le reste
au lait, avec les ingrédients secs. Mélangez
pour obtenir une pâte molle.

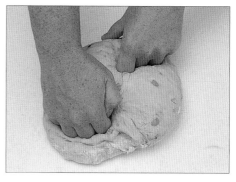

3 Pétrissez la pâte sur une surface légèrement farinée 10 min, jusqu'à ce
qu'elle soit souple. Mettez-la dans une
jatte, couvrez d'un torchon humide et
laissez lever dans un endroit chaud
1 h environ. Elle doit doubler de volume.

4 Préchauffez le four à 190 °C (th. 6).
Huilez un moule cylindrique et che-
misez-le de papier sulfurisé. Travaillez de
nouveau la pâte, en formant un cylindre.
Placez-la dans le moule, couvrez de film
plastique huilé et laissez dans un endroit
chaud afin qu'elle lève presque jusqu'au
bord du moule.

5 Retirez le film plastique. Badigeonnez le dessus d'œuf réservé. Faites
cuire au four 50 à 55 min. Une brochette
piquée dans le gâteau doit sortir sèche.
Couvrez le *koulitch* de papier aluminium
s'il dore trop vite. Démoulez-le sur une
grille pour qu'il refroidisse.

6 Pour le glaçage, tamisez le sucre glace
dans une jatte. Ajoutez le jus de
citron et mélangez bien de manière à
obtenir un glaçage épais. Arrosez le dessus du *koulitch* et laissez prendre. Nappez
de confiture, si vous le souhaitez.

Paskha

La *paskha* est le terme pour désigner Pâques en russe. C'est aussi le nom donné à un riche dessert au fromage frais et aux fruits, qui célèbre la fin du carême. Selon la tradition, il est façonné en forme de pyramide dans un moule en bois sur lequel est gravée la croix orthodoxe, mais un pot en plastique fera l'affaire.

INGRÉDIENTS

Pour 6 à 8 personnes

- 120 g de fruits confits émincés
- 50 g de raisins secs
- le zeste finement râpé et le jus d'1 citron
- 1 cuil. à café d'essence de vanille
- 675 g de fromage frais
- 25 g de beurre
- 15 cl de crème aigre
- 50 g de sucre en poudre
- 50 g de miel blond liquide
- 50 g d'amandes mondées et hachées
- fruits confits, zeste de citron, angélique et miel, pour décorer

1 Mélangez les fruits confits, les raisins secs, le zeste et le jus de citron et l'essence de vanille dans une jatte. Couvrez et laissez macérer pendant 1 h.

ASTUCE

Laissez égoutter le mélange pendant 1 h dans un chinois tapissé de mousseline, avant d'en remplir le moule.

2 Pendant ce temps, tapissez un pot en plastique de 1,5 litre de contenance avec une double couche de mousseline, en la laissant dépasser largement au-dessus des bords.

3 Mettez le fromage, le beurre et la crème aigre dans une jatte, puis battez vigoureusement. Ajoutez le sucre, le miel, les amandes mondées et les fruits secs macérés et mélangez bien.

4 Déposez la préparation dans le pot, puis rabattez les bords de la mousseline vers le centre. Couvrez avec une petite assiette, puis ajoutez un poids de 450 g. Posez le pot sur une assiette et laissez au réfrigérateur toute une nuit.

5 Dépliez la mousseline, démoulez la *paskha* sur une assiette, puis retirez la mousseline. Avant de servir, décorez des zestes de citron, de fruits confits et d'angélique, et arrosez de miel.

Gâteau polonais au miel

De nombreux gâteaux de l'est de l'Europe, comme la *tort orzechowy* polonaise, sont sucrés avec du miel et composés de fruits à coque pilés et de chapelure en remplacement de la farine. D'où leur saveur si riche et leur texture moelleuse.

INGRÉDIENTS

Pour 12 personnes

- 15 g de beurre fondu et refroidi
- 120 g de chapelure fine
- 175 g de miel crémeux, plus un peu pour servir
- 50 g de cassonade
- 4 œufs, blancs et jaunes séparés
- 120 g de noisettes, hachées et grillés, plus un peu pour décorer

1 Préchauffez le four à 180 °C (th. 6). Badigeonnez un moule à brioche avec du beurre fondu. Saupoudrez-le ensuite avec 15 g de chapelure.

2 Versez le miel dans une jatte, posée sur une casserole d'eau frémissante. Quand le miel se liquéfie, ajoutez le sucre et les jaunes d'œufs. Fouettez afin d'obtenir un mélange mousseux. Retirez du feu.

ASTUCE

Le gâteau va lever pendant la cuisson, puis retomber légèrement en refroidissant.

3 Mélangez le reste de la chapelure avec les noisettes, puis incorporez à la préparation au miel. Dans une autre jatte, fouettez les blancs d'œufs en neige ferme, puis incorporez-les délicatement aux autres ingrédients, par moitié.

4 Déposez la pâte dans le moule. Faites dorer le gâteau au four 40 à 45 min. Laissez refroidir dans le moule pendant 5 min, puis démoulez sur une grille. Parsemez de noisettes et arrosez de miel liquéfié avant de servir.

Crème au café

À la différence des Russes et des Ukrainiens, les Polonais ont une passion pour le café. Il entre ainsi dans la préparation de nombreux desserts.

INGRÉDIENTS

Pour 4 personnes

- 25 g de café finement moulu
- 30 cl de lait
- 15 g de crème fraîche liquide
- 2 œufs battus
- 2 cuil. à soupe de sucre en poudre
- crème fouettée et cacao en poudre, pour décorer

1 Préchauffez le four à 190 °C (th. 6). Versez le café moulu dans une cruche. Chauffez le lait dans une casserole jusqu'à ce qu'il frémisse. Versez-le sur le café et laissez reposer 5 min.

2 Passez le lait aromatisé au café dans la casserole. Ajoutez la crème, puis chauffez de nouveau à frémissement.

3 Dans une jatte, battez les œufs et le sucre. Versez le lait au café dans la jatte, en fouettant sans cesse. Passez dans la cruche préalablement rincée.

4 Répartissez la crème dans 4 ramequins de 15 cl chacun. Couvrez avec un morceau de papier aluminium.

5 Disposez les ramequins dans un plat à four, puis versez suffisamment d'eau chaude pour qu'elle atteigne les ramequins à mi-hauteur. Faites cuire au four pendant 40 min.

6 Retirez les ramequins du plat et laissez refroidir. Mettez la crème au café à réfrigérer 2 h. Si vous le souhaitez, décorez avec de la crème fouettée et 1 pincée de cacao avant de servir.

Gâteau aux amandes

Les amandes sont récoltées en
abondance en Pologne, et utilisées
indifféremment pour les plats salés
et sucrés. Dans ce *tort migdalowy,*
ou gâteau aux amandes polonais,
la garniture crémeuse au café
a une agréable saveur d'amandes.

INGRÉDIENTS

Pour 8 à 10 personnes

- 75 g d'amandes mondées
- 250 g de beurre ramolli
- 250 g de sucre en poudre
- 4 œufs battus
- 150 g de farine pour gâteaux
  (avec levure incorporée), tamisée

Pour le glaçage

- 175 g d'amandes mondées
- 40 g de café moulu
- 10 cl environ d'eau bouillante
- 150 g de sucre en poudre
- 9 cl d'eau
- 3 jaunes d'œufs
- 250 g de beurre

1 Préchauffez le four à 190 °C (th. 6).
Graissez légèrement et tapissez le fond
de 3 moules à gâteaux ronds de 18 cm de
diamètre avec du papier sulfurisé.

2 Déposez les amandes mondées sur
une plaque à four et faites les griller
7 min. Elles doivent être bien dorées.

3 Laissez refroidir, puis transférez dans
un mixer et réduisez en poudre fine.

4 Travaillez le beurre et le sucre en une
crème pâle et légère. Incorporez les
œufs par petites quantités, en battant
vigoureusement à chaque fois. Ajoutez la
poudre d'amandes, la farine et mélangez.

5 Répartissez la pâte entre les moules
et faites cuire au four 25 à 30 min,
jusqu'à ce que les gâteaux gonflent et
soient fermes au toucher. Démoulez sur
une grille et laissez refroidir.

6 Pour préparer le glaçage, déposez les
amandes mondées dans un bol, puis
recouvrez d'eau bouillante. Laissez refroidir, puis égouttez les amandes et coupez-
les en 4 ou 5 lamelles dans le sens de la
longueur. Faites griller au four sur une
plaque 6 à 8 min.

7 Versez le café moulu dans une cruche. Ajoutez l'eau et laissez reposer.
Dans une casserole à fond épais, chauffez
le sucre et 9 cl d'eau, à feu doux, afin de
dissoudre le sucre. Laissez frémir 3 min,
jusqu'à ce que la température atteigne
107 °C sur un thermomètre à sucre.

8 Déposez les jaunes d'œufs dans une
jatte, puis versez le sirop en mince
filet, en fouettant, afin que le mélange
épaississe. Travaillez le beurre en crème,
puis incorporez-le peu à peu aux œufs.

9 Tamisez le café et incorporez-le au
glaçage en fouettant. Utilisez les 2/3
du glaçage pour souder les gâteaux
ensemble. Étalez le reste sur le dessus, puis
parsemez de lamelles d'amandes.

Gâteau de fromage frais aux raisins secs

Les gâteaux de fromage frais étaient autrefois cuits au four et non additionnés de gélatine. Ce dessert ukrainien est une spécialité pascale.

INGRÉDIENTS

Pour 8 personnes

- 120 g de farine
- 50 g de beurre
- 1 cuil. à soupe de sucre en poudre
- 25 g d'amandes finement hachées
- 2 cuil. à soupe d'eau froide
- 1 cuil. à soupe de sucre glace, pour saupoudrer

Pour la garniture

- 120 g de beurre
- 150 g de sucre en poudre
- 1 cuil. à café d'essence de vanille
- 3 œufs battus
- 25 g de farine tamisée
- 400 g de fromage frais
- le zeste râpé et le jus de 2 citrons
- 65 g de raisins secs

1 Tamisez la farine dans une jatte. Incorporez le beurre du bout des doigts, afin d'obtenir une sorte de fine chapelure. Ajoutez le sucre et les amandes. Versez l'eau et mélangez en une pâte. Pétrissez-la sur une surface farinée quelques secondes. Enveloppez-la de film plastique et mettez à réfrigérer 30 min.

2 Préchauffez le four à 200 °C (th. 7). Abaissez la pâte sur une surface farinée en un disque de 23 cm de diamètre. Tapissez-en le fond d'un moule à tarte de 20 cm de diamètre.

3 Piquez la pâte à la fourchette, couvrez de papier aluminium huilé et faites cuire au four 6 min. Retirez le papier et laissez dorer 6 min. Sortez-la et baissez la température à 150 °C (th. 4).

4 Pour la garniture, travaillez le beurre, le sucre et la vanille en crème. Incorporez 1 œuf en battant, puis la farine. Battez le fromage afin qu'il soit onctueux, mélangez-le aux œufs restants, puis à la préparation au beurre. Ajoutez le zeste, le jus des citrons et les raisins secs.

5 Versez la garniture sur le fond de tarte. Faites cuire au four 1 h 30. Éteignez le four, laissez la porte entrouverte, et attendez que la tarte refroidisse avant de la sortir. Saupoudrez de sucre glace.

Crêpes à la polonaise

Ces crêpes sont farcies avec un mélange de fromage frais et de raisins secs.

INGRÉDIENTS

Pour 6 personnes

- 120 g de farine
- 1 pincée de sel
- 1 pincée de noix de muscade râpée, plus un peu pour saupoudrer
- 1 œuf, blanc et jaune séparés
- 20 cl de lait
- 2 cuil. à soupe d'huile de tournesol
- 25 g de beurre
- 1 cuil. à soupe de sucre glace
- rondelles de citron, pour garnir

Pour la farce

- 250 g de fromage frais
- 1 cuil. à soupe de sucre en poudre
- 1 cuil. à café d'essence de vanille
- 50 g de raisins de Smyrne

1 Tamisez la farine, le sel et la muscade dans une jatte. Faites un puits au centre. Ajoutez le jaune d'œuf et la moitié du lait. Battez le mélange afin qu'il soit homogène, puis versez le reste de lait.

2 Fouettez le blanc d'œuf en neige ferme. Incorporez-les à la pâte.

3 Chauffez 1 cuillerée à café d'huile de tournesol et 1 noix de beurre dans une poêle de 18 cm de diamètre. Versez suffisamment de pâte pour couvrir le fond, en tournant la poêle.

4 Faites cuire pendant 2 min, puis retournez la crêpe et laissez cuire encore 2 min.

5 Préparez de même 5 autres crêpes, en ajoutant de l'huile et du beurre si nécessaire. Empilez les crêpes et gardez-les au chaud.

6 Pour la farce, mélangez le fromage frais, le sucre et la vanille dans une jatte. Incorporez les raisins de Smyrne. Répartissez la préparation entre les crêpes, repliez-les et saupoudrez de sucre glace et de muscade. Garnissez de rondelles de citron.

Délice aux abricots secs

Les fruits frais étaient autrefois rares en Pologne durant l'hiver, et l'on utilisait fréquemment, à défaut, des fruits secs. Ce riche dessert aux abricots et aux amandes, très apprécié en Pologne, ressemble aux confiseries préparées couramment dans les Balkans.

Ingrédients

Pour 6 personnes

- 250 g d'abricots secs en morceaux
- 3 cuil. à soupe d'eau
- 50 g de sucre en poudre
- 50 g d'amandes hachées
- 50 g de zeste d'orange confit
- sucre glace, pour saupoudrer
- crème fouettée et cannelle en poudre, pour servir

1 Mettez les abricots et l'eau dans une casserole à fond épais. Couvrez et laissez mijoter 20 min environ, en remuant, jusqu'à obtenir une pâte épaisse.

2 Incorporez le sucre en poudre et laissez mijoter, toujours en remuant, encore 10 min jusqu'à ce que la pâte soit sèche. Retirez du feu et incorporez les amandes et le zeste d'orange confit.

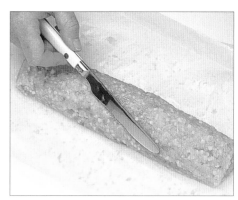

3 À l'aide d'un couteau, façonnez la pâte en grosse saucisse d'environ 5 cm d'épaisseur, sur du papier sulfurisé saupoudré de sucre glace.

4 Laissez sécher dans un endroit frais pendant au moins 3 h. Coupez le délice aux abricots en tranches et servez avec de la crème fouettée, saupoudrée de cannelle.

Compote aux fruits secs

Les fruits poussent en abondance dans les vergers ukrainiens et les fruits secs sont dégustés toute l'année. L'*uzvar* est servi la veille de Noël et lors de repas de funérailles. Ce délicieux dessert, facile à préparer, est également confectionné en Russie.

Ingrédients

Pour 6 personnes

- 350 g de fruits secs mélangés : pommes, poires, pruneaux, pêches et abricots
- 1 bâton de cannelle
- 30 cl de cidre ou d'eau
- 65 g de raisins secs
- 2 cuil. à soupe de miel blond liquide
- le jus d'1/2 citron
- feuilles de menthe, pour décorer

1 Déposez les fruits secs dans une grande casserole avec la cannelle et le cidre ou l'eau. Chauffez à feu doux jusqu'à ébullition. Couvrez, réduisez le feu et laissez cuire à feu doux 12 à 15 min, pour attendrir les fruits.

Astuce

Cette compote peut se conserver au réfrigérateur pendant une semaine.

2 Hors du feu, incorporez les raisins secs et le miel. Couvrez et laissez refroidir. Retirez le bâton de cannelle et incorporez le jus de citron.

3 Transférez la compote dans un plat de service, couvrez de film plastique et conservez au réfrigérateur jusqu'à son utilisation. Laissez la compote revenir à température ambiante avant de la servir, décorée de quelques feuilles de menthe.

Tarte aux prunes et aux amandes

Les prunes et les amandes se marient bien. Cette tarte russe en fait un usage simple et délicieux. On la sert généralement avec une crème anglaise faite maison.

INGRÉDIENTS

Pour 6 personnes

- 175 g de farine
- 120 g de beurre froid coupé en dés
- 6 cl de crème aigre

Pour la garniture

- 50 g de beurre ramolli
- 50 g de sucre en poudre, plus 2 cuil. à soupe pour saupoudrer
- 2 œufs battus
- 120 g d'amandes en poudre
- 6 prunes environ, coupées en quartiers ou en grosses tranches, et dénoyautées
- 100 g de confiture de prunes chaude
- 4 cuil. à soupe d'amandes effilées, pour décorer

1 Tamisez la farine dans une jatte. Incorporez le beurre du bout des doigts afin d'obtenir une sorte de chapelure fine. Ajoutez la crème aigre. Enveloppez la pâte de film plastique et laissez au réfrigérateur au moins 30 min.

VARIANTE

Remplacez les prunes par des abricots.

2 Pour la garniture, travaillez le beurre et le sucre en une crème légère. Ajoutez les œufs, en alternant avec les amandes en poudre.

3 Préchauffez le four à 220 °C (th. 8). Abaissez la pâte sur une surface farinée en un disque de 30 cm de diamètre, puis transférez-le sur une plaque à four.

4 Piquez la pâte à l'aide d'une fourchette. Étalez la pâte d'amandes sur la pâte en préservant une bordure de 4 cm. Disposez les prunes et saupoudrez avec 2 cuillerées à soupe de sucre.

5 Repliez la bordure sur elle-même. Faites cuire au four 35 à 40 min. La tarte doit être dorée. Glacez avec la confiture chaude, passée au chinois. Décorez d'amandes effilées.

VARIANTE

Vous pouvez aussi confectionner 4 tartelettes individuelles, comme celle présentée ci-contre. Coupez alors les prunes en lamelles plutôt qu'en quartiers., puis procédez de même que ci-dessus.

Lepechki

On retrouve dans ces biscuits la préférence marquée des Russes pour les saveurs aigres. Ici, le beurre est remplacé par de la crème aigre.

INGRÉDIENTS

Pour 24 biscuits

- 250 g de farine pour gâteaux (avec levure incorporée)
- 1 pincée de sel
- 90 g de sucre en poudre
- 1 œuf, blanc et jaune séparés
- 12 cl de crème aigre
- 1/2 cuil. à café d'essence de vanille et 1/2 cuil. à café d'essence d'amande
- 1 cuil. à soupe de lait
- 50 g d'amandes effilées

1 Préchauffez le four à 200 °C (th. 7). Tamisez la farine, le sel et le sucre dans une jatte. Faites un puits au centre.

2 Réservez 2 cuillerées à café de blanc d'œuf. Mélangez le reste avec les jaunes, la crème aigre, les essences de vanille et d'amande et le lait. Ajoutez aux ingrédients secs et mélangez jusqu'à l'obtention d'une pâte lisse.

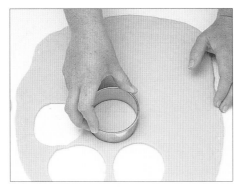

3 Abaissez la pâte sur une surface légèrement farinée sur une épaisseur d'environ 8 mm, puis découpez des disques de 7,5 cm de diamètre avec un emporte-pièce.

4 Déposez les disques sur des plaques à four légèrement huilées. Badigeonnez du blanc d'œuf réservé et parsemez d'amandes effilées.

5 Faites dorer légèrement les biscuits 10 min au four. Transférez sur une grille et laissez refroidir. Conservez les biscuits dans une boîte hermétique.

Babka

En Pologne, le menu pascal inclut nécessairement un cochon de lait rôti, des œufs colorés et une *babka* – le terme signifie «grand-mère». Ce gâteau doit son nom au fait qu'il doit être confectionné avec précaution et un soin attentif.

INGRÉDIENTS
Pour 8 personnes
- 350 g de farine
- 1/2 cuil. à café de sel
- 25 g de sucre en poudre
- 1 cuil. à café de levure de boulanger
- 120 g de beurre ramolli
- 15 cl de lait tiède
- 4 jaunes d'œufs
- 120 g de raisins de Smyrne
- le zeste finement râpé d'1 orange
- 4 cuil. à soupe de miel blond tiède
- beurre, pour servir

1 Dans une grande jatte, tamisez la farine, le sel et le sucre. Incorporez la levure, puis faites un puits au centre.

2 Ajoutez le beurre, le lait, les jaunes d'œufs, les raisins secs et le zeste d'orange. Mélangez pour obtenir une pâte. Transférez sur une surface légèrement farinée et travaillez la pâte pendant 10 min, jusqu'à ce qu'elle soit souple.

3 Déposez la pâte dans un moule à gâteau cannelé. Couvrez de film plastique et laissez lever dans un endroit chaud 1 h, afin que la pâte double de volume.

4 Préchauffez le four à 190 °C (th. 6). Faites cuire 45 à 50 min. Une brochette piquée au milieu du gâteau doit ressortir sèche.

5 Laissez le gâteau refroidir dans le moule pendant 5 min. Démoulez-le sur une grille et badigeonnez toute la surface avec le miel tiède. Lorsqu'il a refroidi, coupez le gâteau en tranches épaisses et servez avec du beurre.

Biscuits de Noël

Ces biscuits épicés peuvent servir de décorations comestibles : enfilez-les sur des rubans de couleur et pendez-les aux branches de votre arbre de Noël, comme cela se fait traditionnellement en Ukraine.

INGRÉDIENTS
Pour 30 biscuits
- 50 g de beurre
- 1 cuil. à soupe de mélasse ou de miel blond
- 50 g de cassonade
- 250 g de farine
- 2 cuil. à café de cannelle en poudre
- 1 cuil. à café de gingembre en poudre
- 2 pincées de noix de muscade râpée
- 1/2 cuil. à café de bicarbonate de soude
- 3 cuil. à soupe de lait
- 1 jaune d'œuf
- 2 cuil. à soupe de cristaux de sucre

1 Préchauffez le four à 180 °C (th. 6). Tapissez 2 plaques à pâtisserie de papier sulfurisé. Faites fondre le beurre, la mélasse ou le miel et la cassonade dans une casserole. Laissez refroidir 5 min.

2 Tamisez la farine, la cannelle, le gingembre, la noix de muscade et le bicarbonate dans une jatte. Faites un puits au centre. Versez le beurre sucré, le lait et le jaune d'œuf. Mélangez.

3 Pétrissez bien la pâte, puis abaissez-la entre 2 feuilles de papier sulfurisé sur une épaisseur de 5 mm. Découpez des biscuits avec un emporte-pièce.

ASTUCE

Abaissez la pâte quand elle est tiède, car en refroidissant elle peut durcir et s'effriter.

4 Disposez les biscuits sur les plaques à pâtisserie. Faites un trou au centre de chaque biscuit avec une brochette si vous souhaitez ensuite les suspendre. Saupoudrez-les de cristaux de sucre colorés. Faites cuire au four 10 min, jusqu'à ce que les biscuits foncent légèrement. Laissez-les tiédir, puis transférez-les sur une grille pour qu'ils refroidissent.

Pain de seigle

La tradition veut que l'on prépare la recette avec un peu de pâte conservée lors d'une précédente fabrication de pain, mais il est plus simple de faire vous-même votre levain. C'est lui qui donne au pain sa saveur légèrement aigre.

INGRÉDIENTS

Pour 2 miches

- 450 g de farine de seigle, plus un peu pour saupoudrer (facultatif)
- 450 g de farine blanche de boulanger
- 1 cuil. à soupe de sel
- 10 g de levure de boulanger
- 25 g de beurre ramolli
- 60 cl d'eau chaude
- 1 cuil. à soupe de graines de carvi ou de sarrasin, pour saupoudrer (facultatif)

Pour préparer le levain

- 4 cuil. à soupe de farine de seigle
- 3 cuil. à soupe de lait chaud

1 Mélangez la farine de seigle et le lait dans une petite jatte. Couvrez de film plastique et laissez dans un endroit chaud 1 à 2 jours, jusqu'à ce qu'une agréable odeur se dégage de la jatte.

2 Pour préparer les miches, tamisez les farines et le sel dans une jatte. Incorporez ensuite la levure. Faites un puits au centre et ajoutez le beurre, l'eau et le levain déjà préparé. À l'aide d'une cuillère en bois, mélangez bien le tout jusqu'à l'obtention d'une pâte molle.

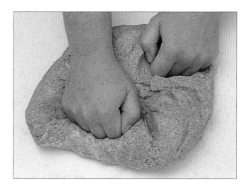

3 Transférez la pâte sur une surface légèrement farinée et travaillez-la 10 min, afin qu'elle soit souple. Mettez-la dans une jatte, couvrez de film plastique et laissez lever dans un endroit chaud 1 h. Elle doit doubler de volume.

4 Pétrissez la pâte 1 min, puis divisez-la en deux. Façonnez chaque morceau en 1 disque de 15 cm de diamètre. Transférez sur 2 plaques à four huilées, couvrez de film plastique huilé et laissez lever pendant 30 min.

5 Préchauffez le four à 200 °C (th. 7). Badigeonnez les miches d'eau, puis parsemez-les de graines de carvi ou de sarrasin, ou encore de farine de seigle.

6 Faites dorer au four 35 à 40 min. Les miches doivent sonner creux lorsque l'on tape le fond. Laissez refroidir les pains sur une grille.

ASTUCE

Le pain de seigle conserve sa fraîcheur 1 semaine. Il peut se confectionner sans levure, mais il sera plus compact.

Gâteau roulé au pavot

Ce gâteau au levain, farci de fruits secs et de graines de pavot est un excellent exemple de la pâtisserie traditionnelle polonaise. Les graines de pavot lui donnent une texture granuleuse et lui conservent son moelleux.

INGRÉDIENTS

Pour 12 personnes
- 450 g de farine
- 1 pincée de sel
- 2 cuil. à soupe de sucre en poudre
- 2 cuil. à café de levure chimique
- 18 cl de lait
- le zeste finement râpé d'1 citron
- 50 g de beurre

Pour la garniture et le glaçage
- 50 g de beurre
- 120 g de graines de pavot
- 5 cl de miel
- 65 g de raisins secs
- 65 g de zeste d'orange confit finement haché
- 50 g d'amandes en poudre
- 1 jaune d'œuf
- 50 g de sucre en poudre
- 1 cuil. à soupe de lait
- 4 cuil. à soupe de confiture d'abricots
- 1 cuil. à soupe de jus de citron
- 1 cuil. à soupe de rhum ou de cognac
- 25 g d'amandes effilées grillées

1 Tamisez la farine, le sel et le sucre dans une jatte. Incorporez ensuite la levure et faites un puits au centre.

2 Faites chauffer le lait et le zeste de citron dans une casserole avec le beurre. Quand ce dernier a fondu, laissez tiédir, puis ajoutez aux ingrédients secs et mélangez pour obtenir une pâte.

3 Travaillez 10 min la pâte sur une surface légèrement farinée, jusqu'à ce qu'elle soit souple. Déposez-la dans une jatte, couvrez et laissez lever dans un endroit chaud 45 à 50 min ; elle doit doubler de volume.

4 Pour la garniture, faites fondre le beurre dans une casserole. Réservez 1 cuillerée à soupe de graines de pavot, puis mixez le reste et versez dans la casserole avec le miel, les raisins secs et le zeste confit. Laissez cuire à feu doux, 5 min. Incorporez les amandes. Laissez refroidir.

5 Fouettez le jaune d'œuf et le sucre dans une jatte, puis incorporez à la préparation au pavot. Abaissez la pâte sur une surface farinée en un rectangle de 30 × 35 cm. Étalez la farce sur la pâte en préservant une bordure de 2,5 cm.

6 Roulez les 2 bords de pâte vers le centre. Couvrez de film plastique et laissez lever 30 min. Préchauffez le four à 190 °C (th. 6).

7 Badigeonnez le gâteau de lait, puis parsemez des graines de pavot réservées. Faites dorer au four 30 min.

8 Chauffez la confiture et le jus de citron à feu doux jusqu'à frémissement. Passez, puis incorporez le rhum ou le cognac. Badigeonnez-en le biscuit chaud et parsemez le dessus d'amandes.

ALLEMAGNE, AUTRICHE, HONGRIE ET RÉPUBLIQUE TCHÈQUE

Les influences que reflète cette région s'étendent de la Russie à la France et à la Turquie. Sa gastronomie est renommée pour ses ragoûts et ses boulettes, son utilisation spécifique d'ingrédients comme la choucroute et le paprika, et l'excellence de sa pâtisserie.

INTRODUCTION

Les pays d'Europe centrale – l'Allemagne, l'Autriche, la Hongrie, la République tchèque et la Slovaquie – englobent une vaste région géographique qui s'étend vers le sud, depuis les rives glacées de la mer du Nord et de la Baltique, vers les pays balkaniques. La nourriture reflète ainsi des influences très diverses, même si elle est dominée par une robustesse dont la réputation n'est plus à faire dans le monde entier.

L'IDENTITÉ CULINAIRE

Les préférences de chaque pays en matière alimentaire ont tendance à rester simples et différenciées. Toutefois, la disponibilité de nombreux ingrédients – aneth, graines de carvi, concombre, moutarde, crème aigre et chou – a suscité un enrichissement mutuel des arts culinaires et, dans certains cas, les recettes de deux pays voisins varient peu.

La cuisine tchèque, par exemple, est solide et copieuse, mais d'une saveur assez fade à l'exception de la présence de la marjolaine. On y préfère le pain de seigle clair, de même que les salades de pommes de terre et autres légumes cuits, souvent assaisonnées de mayonnaise. Les pommes de terre sont également rissolées avec du lard, ou cuites à l'étouffée avec de la saucisse pour préparer un dîner rapide. Une utilisation très souple est faite des autres racines, comme le céleri-rave. Le mets préféré des Tchèques demeure toutefois les boulettes. À base de farine, de semoule, ou de pommes de terre, de formes et de tailles diverses, elles sont servies dans les soupes et les ragoûts ou en dessert.

Contrastant avec ces saveurs douces et discrètes, la cuisine hongroise est nettement plus relevée et abonde en légumes méditerranéens. Les saveurs aigres et les pickles, caractéristiques de l'est de l'Europe y sont en revanche plus rares. Enfin, la profusion de blé dans les champs de Hongrie assure la présence de pain blanc, en remplacement des pains noirs, et un emploi plus fréquent de pâtes faites maison.

LA GASTRONOMIE HONGROISE

Dans la cuisine hongroise, l'utilisation du vin rouge ou blanc pour accommoder les plats de viande ou de poisson a favorisé une subtilité et une finesse que l'on ne retrouve pas dans les autres cuisines d'Europe centrale et qui semble tracer une ligne de partage entre cette nourriture et celle plus simple, plus paysanne, qui caractérise la région. Les chefs hongrois possèdent aussi diverses façons de cuisiner la viande et le poisson avec du paprika, selon que le plat devra être sec ou crémeux. Le *goulash,* notamment, est un plat accompagné d'une sauce abondante.

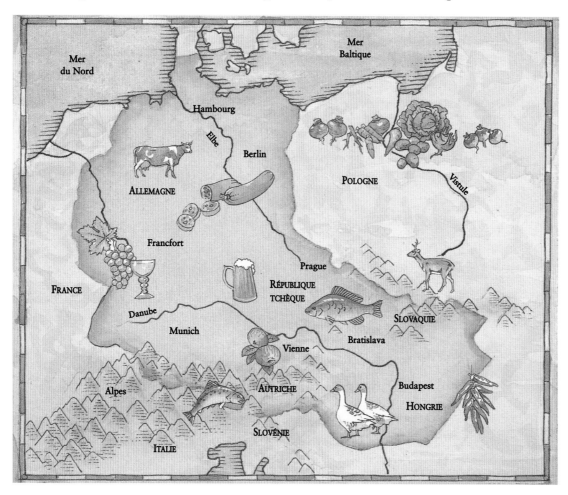

CI-CONTRE – *Cette deuxième section regroupe des recettes de tradition paysanne issues de l'époque de l'Empire austro-hongrois des Habsbourg.*

À DROITE – *Les produits frais disponibles sur les marchés varient des racines caractéristiques du nord de l'Europe, aux tomates, courgettes et poivrons, plus typiques des cuisines méridionales.*

La cuisine hongroise semble devoir son raffinement culinaire tant à la belle variété d'ingrédients utilisés – tomates, oignons et poivrons – qu'à un mariage décisif survenu au XVᵉ siècle, entre le roi Mathias Iᵉʳ et la fille du roi de Naples. Celle-ci, pour mieux supporter l'éloignement, fit importer des produits nouveaux sur le sol hongrois et demanda à des chefs cuisiniers italiens de la suivre.

LES PLATS DE VIANDE

Le porc est l'ingrédient principal des plats de viande de cette région. Même si le célèbre *schnitzel* autrichien est à base de veau, le porc est la viande généralement consommée, soit en escalopes panées et frites, ou cuit avec des poivrons. En République tchèque, il sert souvent à envelopper une farce composée d'un œuf, de jambon et de fromage. Il est également cuit en ragoût, comme dans le *goulash* hongrois.

Le porc salé ou fumé, ou lard, constitue un autre ingrédient important de la cuisine d'Europe centrale, très apprécié pour sa saveur persistante. Les cuisines tchèque et hongroise, emploient notamment le gras du lard pour parfumer de nombreuses soupes et les plats qui doivent mijoter longtemps, comme le chou rouge.

Le porc est également un ingrédient important pour la fabrication des saucisses. Les saucissons tchèques et les salamis hongrois sont réputés dans le monde entier et, en Allemagne, chaque région possède son *wurst*, ou saucisson.

Le bœuf parvient à rivaliser avec le porc uniquement dans les régions d'Europe centrale où il fait l'objet d'un élevage soigné. C'est le cas par exemple en Hongrie, à Puszta, où fut créé le *goulash* qui doit son nom aux *gulyás* (vachers), les inventeurs de cette recette. Si aujourd'hui il est fait un usage abondant de paprika, graines de carvi, poivrons verts et tomates pour accommoder ce plat,

les vachers des siècles passés se contentaient d'ajouter de l'eau à la viande préalablement cuite avec des oignons, puis séchée au soleil.

La gastronomie allemande possède également quelques recettes de bœuf excellentes : le *sauerbraten,* entre autres, dans lequel la viande marine dans le vinaigre, le sucre et d'autres condiments, puis est braisée, afin d'en faire ressortir toute la saveur.

L'INFLUENCE DE LA CUISINE JUIVE

La cuisine d'Europe centrale et la cuisine juive de cette région partagent souvent des goûts similaires pour quantité d'ingrédients.

Les gastronomies tchèque et juive privilégient l'oie et le bœuf, ainsi que la carpe servie avec des sauces sucrées. La *jeddefesch,* ou carpe à la juive, est farcie avec du brochet, faisant de la sorte usage de deux poissons très utilisés dans cette région. Crêpes, haricots et galettes frites de pommes de terre râpées sont également présents dans les deux cuisines. Le plat mangé au shabbat, le *tchoulent* – un ragoût de haricots blancs et d'orge ou de sarrasin, de pommes de terre et de bœuf –, est une variante casher des plats à base de porc préparés dans toute l'Europe centrale. De même

que dans les recettes de chou rouge, le lard y est supprimé.

LES GÂTEAUX ET PÂTISSERIES

La tradition des gâteaux et pâtisseries commune au sud de l'Allemagne, à l'Autriche et à la Hongrie doit beaucoup aux cuisiniers et aux boulangers viennois du XVIIIᵉ siècle, qui à leur tour furent influencés par des chefs français et turcs.

Les pâtissiers allemands, austro-hongrois et juifs créèrent ensemble, en deux siècles et demi, les meilleurs gâteaux et strudels, et le cadre le plus raffiné que l'on puisse imaginer pour les déguster tout en prenant son café.

Si les pains sont nombreux et de toutes sortes, seul le *gougelhof* ou *kugelhopf* (de l'allemand *kugel*, « boule ») se retrouve dans tous les pays d'Europe centrale. Cette brioche aux raisins secs, moulée en une couronne haute et torsadée, se fait avec de la levure de bière depuis le milieu du XVIIIᵉ siècle.

INGRÉDIENTS

rehausser la saveur des soupes et des ragoûts. De l'Allemagne à la Slovaquie et à la Hongrie, en passant par la République tchèque, les saucisses sont vendues partout sur les étals dans la rue ; elles sont alors dégustées simplement avec un petit pain et de la moutarde. La variété de saucisses et de saucissons – *wurst,* en allemand – proposée dans les charcuteries et les épiceries fines est impressionnante pour le non-connaisseur.

LÉGUMES

Les poivrons frais rouges et verts, les tomates et les courgettes, le persil et l'aneth comptent parmi les nombreux légumes et herbes que l'on peut s'attendre à voir sur un marché hongrois. Aux gros oignons blancs, viennent s'ajouter les ciboules pour assaisonner les salades et les soupes. On trouve aussi le *kohlabi* (choux-rave), apparenté au chou, et le céleri-rave, une racine qui entre dans la composition des soupes ou des salades.

VIANDES ET VOLAILLES

Le porc frais est la viande la plus appréciée, avec l'oie réservée aux grandes occasions. Toutefois, l'Europe centrale est surtout réputée pour ses saucissons de porc et son lard, fumé ou non. Le lard s'accommode particulièrement bien avec le chou et les graines de carvi, tandis que le gras du lard est souvent employé pour

CÉRÉALES

L'Europe centrale est la patrie des *mehlspeisen,* les recettes de nouilles ou de boulettes, qui sont sucrées ou salées et peuvent remplacer un plat principal. Les boulettes sont faites de farine et de semoule, parfois de pommes de terre. Une bonne farine blanche est indispensable à la pâtisserie et à la réussite du pain blanc, qui vient se ranger aux côtés des traditionnels pains de seigle.

HERBES, ÉPICES ET CONDIMENTS

Le paprika fut introduit dans la cuisine quotidienne des Hongrois par

les Turcs, à la fin du XVIe siècle, mais l'aristocratie hésita longtemps avant d'adopter cette nouvelle épice. Pour fabriquer le paprika, on fait sécher la chair des piments rouges doux, puis on la réduit en poudre avec une certaine quantité de graines. Le résultat est gradué en fonction du piquant, de la finesse et de la couleur de la poudre – les teintes du paprika variant du rouge vif au jaune terre. Le paprika « noble » est plus foncé et plus piquant que le paprika semi-doux, plus pâle, qui sert à colorer un plat sans le rendre trop piquant. On commence souvent un plat hongrois en faisant frire un

EN HAUT, À GAUCHE – *Poivron, tomates, céleri-rave, oignons et chou-rave.*

EN HAUT, À DROITE – *Assortiment de pains allemands – pain au levain,* pumperknickel, *pain de seigle et pain tressé aux graines de pavot.*

CI-CONTRE (dans le sens des aiguilles d'une montre) – *Filet fumé,* guylai *hongrois, médaillons de porc, épaule désossée, côtes de porc,* bauernbratwurst, regensburgers *et saucisses de Francfort.*

CI-DESSUS (dans le sens inverse des aiguilles d'une montre) — *Pommes, prunes, cerises, noix et amandes.*

CI-CONTRE, DE GAUCHE À DROITE — *Piments séchés, paprika, piments frais et en bocaux.*

oignon que l'on saupoudre d'une pincée de paprika.

Les graines de carvi, qui ont un effet apaisant et digestif, sont largement utilisées dans les plats de chou et de porc. Le parfum floral et le piquant de la marjolaine fraîche, l'une des seules herbes à conserver toute sa saveur une fois sèche, font merveille dans la cuisine hongroise. La moutarde enfin est un accompagnement indispensable aux saucisses cuites à l'eau dans toute l'Europe centrale.

Dans la pâtisserie, le miel, les graines de pavot et les épices, tels la cannelle, les clous de girofle et la cardamome, servent à parfumer les biscuits et les pains, notamment le pain d'épices et les pains tressés.

FRUITS

Les prunes, les abricots et les cerises d'Europe centrale entrent dans la préparation de confitures et de tartes délicieuses.

Les pommes, largement utilisées, sont particulièrement savoureuses avec le chou rouge braisé. L'Allemagne est l'un des premiers pays producteurs de pommes au monde et il semble ne pas y avoir de limite aux recettes qu'elles autorisent, des strudels aux crêpes et aux gâteaux.

PRODUITS LAITIERS

Le *liptoï* hongrois est un fromage au lait de vache, qui entre dans la composition du *liptauer,* une préparation à base de beurre, de paprika, de graines de carvi et d'oignons. Le fromage frais est employé dans les plats salés et sucrés.

CI-CONTRE (dans le sens des aiguilles d'une montre) — *marjolaine fraîche ; moutardes nature, à l'aneth et à l'ancienne ; cardamome ; bâtons de cannelle ; graines de pavot ; graines de carvi et quatre-épices en poudre.*

BOISSONS

La bière tchèque de Pilzen serait la meilleure au monde. Quel que soit son pays d'origine, la bière blonde allemande est en revanche appréciée dans toute l'Europe centrale et parfois utilisée en cuisine.

Des vins blancs de table sont produits en Moravie et en Slovaquie, mais le meilleur vin provient de Hongrie, dans la région du lac Balaton, ainsi que plus au nord, dans la région de Badacsonyi, et à Villany au sud, à proximité de la Croatie et de la Serbie. La Hongrie est également réputée pour son vin blanc sucré, le tokay, produit au nord du pays sur un vignoble situé sur la frontière avec la Slovaquie. On peut le boire au début ou à la fin du repas, ou l'ajouter à un consommé.

Chaque pays d'Europe centrale possède son cognac, appelé schnaps en Allemagne. Une variété réputée est le *palinka* hongrois, à base d'abricots. Le *slivowicz,* à base de prunes, est présent partout, tandis que l'on trouve une spécialité tchèque — une sorte de liqueur aux herbes — la *beberovka.*

SOUPES ET ENTRÉES

Très appréciées dans cette région, les soupes sont servies en entrée ou en plat principal. Elles varient des plats crémeux comme la soupe au chou-fleur tchèque accompagnée de boulettes légères, aux célèbres soupes hongroises aux fruits et aux soupes consistantes allemandes – soupe aux lentilles et aux rondelles de saucisse de Francfort notamment. En Europe centrale, de nombreuses entrées sont composées de légumes aigres, de viandes froides, de poisson et de fromage. Servis chauds ou froids, ces savoureux en-cas, tels que les galettes de pommes de terre ou le pâté de foie aux herbes en croûte, s'accompagnent d'une boisson.

Soupe d'épinards à la crème

Riches et onctueuses, les soupes hongroises sont à base de crème fraîche épaisse ou de crème aigre, à laquelle on ajoute parfois un jaune d'œuf.

INGRÉDIENTS

Pour 4 personnes

- 500 g de jeunes épinards frais soigneusement lavés
- 1,2 l d'eau salée
- 2 oignons hachés ou finement émincés
- 25 g de beurre
- 3 cuil. à soupe de farine
- 25 cl de crème fraîche épaisse
- sel et poivre noir fraîchement moulu
- 2 œufs durs, coupés en rondelles, et 2 tranches de lard grillées, émincées et la couenne retirée pour garnir

1 Équeutez les feuilles d'épinards. Portez une grande casserole d'eau salée à ébullition. Ajoutez les épinards et laissez cuire 5 à 6 min. Égouttez les épinards et réservez le liquide.

2 Réduisez les épinards en purée au mixer.

3 Dans une grande casserole, faites revenir les oignons dans le beurre jusqu'à ce qu'ils prennent une belle couleur dorée. Retirez du feu et saupoudrez de farine. Puis remettez sur le feu et laissez cuire 1 à 2 min.

4 Incorporez le liquide réservé et, une fois qu'il s'est bien mélangé à la soupe, portez de nouveau à ébullition.

5 Laissez cuire jusqu'à ce que la soupe épaississe, puis ajoutez la purée d'épinards et la crème fraîche. Faites réchauffer et rectifiez l'assaisonnement. Servez la soupe dans des assiettes garnies de petits morceaux de lard et de rondelles d'œufs durs. Saupoudrez de poivre.

Soupe de lentilles

On peut préparer une variante moins copieuse que cette *linensuppe,* en supprimant les saucisses de Francfort.

INGRÉDIENTS
Pour 6 personnes
- 250 g de lentilles brunes
- 1 cuil. à soupe d'huile de tournesol
- 1 oignon finement émincé
- 1 poireau finement émincé
- 1 carotte coupée en fines rondelles
- 2 branches de céleri émincées
- 120 g de lard maigre
- 2 feuilles de laurier
- 1,5 l d'eau
- 2 cuil. à soupe de persil frais ciselé, plus un peu pour garnir
- 250 g de saucisses de Francfort en rondelles
- sel et poivre noir fraîchement moulu

1 Rincez soigneusement les lentilles à l'eau froide.

2 Chauffez l'huile dans une grande casserole, puis mettez l'oignon à revenir à feu doux 10 min. Ajoutez le poireau, la carotte, le céleri, le lard et le laurier.

3 Ajoutez les lentilles. Versez l'eau, puis portez doucement à ébullition. Écumez la surface et laissez mijoter, à demi-couvert, pendant 45 à 50 min. Les lentilles doivent être cuites.

4 Retirez le morceau de lard de la soupe et coupez-le en dés en éliminant l'excès de gras.

5 Remettez-le dans la soupe avec le persil et les rondelles de saucisse. Salez et poivrez. Laissez mijoter 2 à 3 min, puis retirez le laurier, et servez garni de persil.

ASTUCE

À la différence des autres pousses, il n'est pas nécessaire de faire tremper les lentilles brunes avant de les cuire.

Soupe de chou-fleur

Cette soupe onctueuse possède une texture lisse, caractéristique des soupes tchèques.

INGRÉDIENTS

Pour 6 à 8 personnes

- 1 gros chou-fleur séparé en bouquets
- 1,5 l d'eau ou de bouillon de poulet
- 40 g de beurre
- 40 g de farine
- 1 généreuse pincée de noix de muscade ou de macis
- 2 jaunes d'œufs
- 30 cl de crème fraîche
- persil plat, pour garnir
- pain croustillant, pour servir

Pour les boulettes

- 75 g de chapelure
- 10 g de beurre ramolli
- 1 œuf battu
- 2 cuil. à café de persil frais ciselé
- un peu de lait pour lier
- sel et poivre noir fraîchement moulu

1 Faites cuire le chou-fleur dans l'eau ou le bouillon pendant 12 min. Il doit être juste cuit. Retirez du feu et réservez le liquide de cuisson ainsi que plusieurs bouquets de chou-fleur.

2 Préparez une sauce : faites fondre le beurre dans une petite casserole. Ajoutez la farine, faites cuire 1 à 2 min, puis versez 15 cl du liquide de cuisson réservé en remuant bien. Retirez du feu.

3 Réduisez le chou-fleur en purée lisse à l'aide d'un mixer. Incorporez la noix de muscade ou le macis et les jaunes d'œufs, en battant bien, puis ajoutez le tout dans la casserole.

4 Versez suffisamment de liquide de cuisson du chou-fleur pour obtenir 1,2 l de soupe. Faites réchauffer.

5 Pour préparer les boulettes, mélangez tous les ingrédients. Façonnez de petites boules dans la pâte obtenue.

6 Pochez les boulettes, à feu doux, dans la soupe 3 à 5 min avant d'ajouter la crème fraîche. Garnissez avec des brins de persil plat et le chou-fleur réservé. Servez accompagné de pain croustillant.

Soupe de poisson aux boulettes

Cette soupe nécessite un temps de préparation relativement court comparé à celle à base de viande. Vous pouvez utiliser de la perche, du poisson-chat, de la morue ou de la carpe. La fabrication des boulettes est la même avec de la semoule ou de la farine.

INGRÉDIENTS

Pour 4 à 8 personnes

- 3 tranches de lard sans la couenne, coupées en dés
- 700 g de poissons frais mélangés, dépiautés, les arêtes retirées et coupés en dés
- 1 cuil. à soupe de paprika, plus un peu pour garnir
- 1,5 l de fumet de poisson ou d'eau
- 3 tomates fermes, pelées et concassées
- 4 pommes de terre non farineuses, pelées et râpées
- 1 à 2 cuil. à café de marjolaine fraîche ciselée, plus un peu pour garnir

Pour les boulettes

- 75 g de semoule ou de farine
- 1 œuf battu
- 4,5 cl de lait ou d'eau
- 1 généreuse pincée de sel
- 1 cuil. à soupe de persil frais ciselé

1 Faites dorer légèrement le lard à sec dans une grande cocotte, puis ajoutez les morceaux de poisson. Laissez revenir 1 à 2 min, en prenant soin de ne pas émietter les morceaux de poisson.

2 Saupoudrez avec le paprika, versez le fumet ou l'eau, portez à ébullition et laissez mijoter pendant 10 min.

3 Incorporez les tomates, les pommes de terre et la marjolaine. Laissez cuire 10 min en remuant de temps en temps.

4 Préparez les boulettes en mélangeant tous les ingrédients, puis laissez-les reposer 5 à 10 min, recouvertes d'un film plastique.

5 Déposez des boulettes dans la soupe et laissez-les pocher pendant 10 min. Servez chaud, avec un peu de marjolaine et de paprika.

Soupe hongroise aux cerises aigres

Particulièrement appréciée en été, cette soupe à base de fruits est typique de la cuisine hongroise. Cette recette fait un usage idéal des cerises locales, charnues et aigres. Les soupes aux fruits sont épaissies avec de la farine, et on leur ajoute une pincée de sel pour en rehausser la saveur.

INGRÉDIENTS

Pour 4 personnes

- 1 cuil. à soupe de farine
- 12 cl de crème aigre
- 1 généreuse pincée de sel
- 1 cuil. à café de sucre en poudre
- 250 g de cerises aigres ou morello fraîches, dénoyautées
- 90 cl d'eau
- 50 g de sucre

1 Mélangez la farine à la crème aigre. Ajoutez le sel et le sucre en poudre.

2 Faites cuire les cerises dans l'eau avec le sucre. Laissez-les pocher à feu doux pendant 10 min.

ASTUCE

Cette soupe n'en sera que meilleure préparée avec des cerises fraîches aigres ou à cuire du type morello ; la saveur obtenue n'est jamais la même lorsque l'on utilise des cerises en boîte, congelées ou en bocaux.

3 Retirez du feu et réservez 2 cuillerées à café du sirop de cuisson. Incorporez 2 autres cuillerées à café de sirop de cerises au mélange de farine et de crème, puis versez le tout sur les cerises.

4 Remettez sur le feu. Portez à ébullition, puis laissez mijoter pendant 5 à 6 min.

5 Retirez du feu, couvrez de film plastique et laissez refroidir. Ajoutez un peu de sel si nécessaire. Servez garni avec un peu de sirop de cuisson.

Soupe tchèque au porc

Autrefois cette soupe était préparée avec une demi-tête de porc, mais aujourd'hui on lui préfère une épaule, plus facile à trouver et toute aussi savoureuse.

INGRÉDIENTS

Pour 4 à 6 personnes

- 350 g d'épaule ou de filet de porc maigre, coupé(e) en dés
- 1 gros oignon finement émincé
- 120 g de carottes coupées en dés
- 3 gousses d'ail écrasées
- 1,5 l d'eau ou de bouillon de porc
- 2 cuil. à café de marjolaine fraîche ciselée
- 4 à 6 cuil. d'orge perlé ou de riz à longs grains, cuit
- sel et poivre noir fraîchement moulu

1 Déposez les dés de porc, l'oignon, la carotte et l'ail dans une grande casserole. Ajoutez l'eau ou le bouillon.

ASTUCE

Pour obtenir une soupe plus consistante, doublez la quantité d'orge ou de riz.

2 Laissez mijoter 1 h à 1 h 30. La viande doit être juste cuite.

3 Écumez si nécessaire, avant d'ajouter la marjolaine. Assaisonnez selon votre goût. Laissez mijoter encore 5 à 10 min.

4 Mettez l'orge ou le riz dans des assiettes creuses, puis couvrez de soupe.

Champignons farcis aux épinards

Les gros champignons plats, sauvages ou cultivés, sont parfaits pour cette recette. Vous pouvez également utiliser des cèpes frais.

INGRÉDIENTS

Pour 6 personnes

- 12 gros champignons plats
- 450 g de petites feuilles d'épinards, soigneusement lavées
- 3 tranches de lard sans la couenne, coupées en lardons de 5 mm
- 1 oignon finement haché
- 2 jaunes d'œufs battus
- 40 g de chapelure fraîche
- 1 cuil. à café de marjolaine fraîche ciselée
- 3 cuil. à soupe d'huile d'olive ou végétale
- 120 g de feta râpée
- sel et poivre noir fraîchement moulu

1 Pelez les champignons, si nécessaire. Retirez les queues, réservez-les, et hachez finement les champignons.

2 Faites blanchir les épinards dans une casserole d'eau bouillante 1 à 2 min, puis plongez-les dans l'eau froide. Pressez les épinards dans du papier absorbant, en les séchant soigneusement pour éviter d'humidifier la farce. Hachez-les.

3 Faites frire les tranches de lard et l'oignon haché dans une poêle. Lorsqu'ils ont bien doré, ajoutez les queues de champignons. Retirez du feu. Incorporez les épinards, les jaunes d'œufs, la chapelure et la marjolaine. Salez et poivrez selon votre goût.

4 Placez les champignons sur une plaque à four et badigeonnez-les d'huile.

5 Garnissez les têtes de champignons avec des cuillerées à soupe de farce aux épinards. Parsemez de fromage et faites cuire les champignons sous le gril préchauffé pendant 10 min environ. Ils doivent prendre une belle couleur dorée.

Galettes de pommes de terre

Ces petits en-cas sont vendus sur les étals dans la rue et dans les cafés de la République tchèque. Faciles et rapides à faire, ces galettes sont une adaptation savoureuse des crêpes classiques à base de farine.

INGRÉDIENTS

Pour 6 à 8 personnes

- 6 grosses pommes de terre non farineuses, pelées
- 2 œufs battus
- 1 à 2 gousses d'ail écrasées
- 120 g de farine
- 1 cuil. à café de marjolaine fraîche ciselée
- 50 g de beurre
- 4 cuil. à soupe d'huile
- sel et poivre noir fraîchement moulu
- crème aigre, persil frais ciselé et salade de tomates, pour servir

1 Râpez les pommes de terre, puis séchez-les avec un torchon.

2 Déposez les pommes de terre dans une jatte avec les œufs, l'ail, la farine et la marjolaine. Assaisonnez et mélangez bien.

3 Chauffez la moitié du beurre et de l'huile dans une grande poêle, puis déposez de grandes cuillerées de pommes de terre de manière à former des disques. Aplatissez délicatement les galettes avec le dos d'une cuillère humidifiée.

4 Faites frire les galettes jusqu'à ce qu'elles soient croustillantes et dorées, puis retournez-les sur l'autre face et laissez cuire. Égouttez-les sur du papier absorbant et gardez au chaud pendant la cuisson des autres galettes. Ajoutez le reste de beurre et d'huile, si nécessaire.

5 Servez les galettes nappées de crème aigre, parsemées de persil et accompagnées d'une salade de tomates fraîches.

Pâté au foie et aux herbes

Ce pâté est délicieux au déjeuner avec un verre de bière Pilzen.

INGRÉDIENTS

Pour 10 personnes

- 700 g de porc haché
- 350 g de foie de porc
- 350 g de jambon cuit coupé en dés
- 1 petit oignon finement haché
- 2 cuil. à soupe de persil frais ciselé
- 1 cuil. à café de moutarde allemande
- 2 cuil. à soupe de kirsch
- 1 cuil. à café de sel
- œuf battu, pour souder et glacer
- 25 g de gelée en sachet
- 25 cl d'eau bouillante
- poivre noir fraîchement moulu
- pain et pickles à l'aneth, pour servir

Pour la pâte

- 450 g de farine
- 1 pincée de sel
- 275 g de beurre
- 2 œufs
- 1 jaune d'œuf
- 2 cuil. à soupe d'eau

1 Préchauffez le four à 200 °C (th. 7). Pour la pâte, tamisez la farine et le sel, puis incorporez le beurre du bout des doigts. Battez les œufs, le jaune d'œuf et l'eau, et incorporez aux ingrédients secs.

2 Pétrissez brièvement la pâte. Abaissez-en les 2/3 sur une surface farinée, puis tapissez-en un moule à pain de 10 × 25 cm. Retirez l'excès de pâte sur les bords.

3 Réduisez la moitié du porc et du foie au mixer en purée assez lisse. Ajoutez le reste de porc haché, le jambon, l'oignon, le persil, la moutarde et le kirsch. Salez et poivrez.

4 Transférez la farce dans le moule en lissant bien la surface.

5 Abaissez le reste de pâte sur une surface légèrement farinée et recouvrez-en le pâté. Soudez les bords avec de l'œuf battu. Décorez avec des morceaux de pâte et glacez avec un peu d'œuf battu. À l'aide d'une fourchette, faites 3 ou 4 trous pour que la vapeur puisse s'échapper.

6 Faites cuire au four pendant 40 min, puis réduisez la température du four à 180 °C (th. 6). Laissez cuire encore 1 h. Couvrez la pâte avec du papier aluminium si le dessus dore trop. Laissez le pâté refroidir dans le moule.

7 Préparez la gelée avec l'eau bouillante. Remuez pour bien dissoudre le mélange, puis laissez refroidir.

8 Faites un petit trou près du bord du pâté avec une brochette, puis versez la gelée à l'aide d'un entonnoir en papier sulfurisé. Laissez au réfrigérateur pendant au moins 2 h avant de servir le pâté coupé en tranches, avec de la moutarde, du pain et des pickles.

Salade de légumes

Cette salade est un savoureux mélange d'ingrédients caractéristiques de l'Europe centrale – crème aigre, pickles, jus de citron et paprika. Elle est souvent servie en entrée avec une viande froide ou une volaille.

INGRÉDIENTS

Pour 6 personnes

- 250 g de haricots verts équeutés
- 2 carottes coupées en dés
- 120 g de petits pois frais ou décongelés
- 6 jaunes d'œufs
- 1 cuil. à soupe de moutarde allemande
- 2 cuil. à soupe de sucre cristallisé
- 3 cuil. à soupe de jus de citron fraîchement pressé
- 40 cl de crème aigre
- 1 petite pomme à cuire, évidée et coupée en dés
- 2 à 3 branches de céleri coupées en dés
- 1 fenouil au vinaigre, coupé en dés
- 3 œufs durs écalés
- 1 cuil. à café de persil frais ciselé
- 2 cuil. à soupe de chapelure fraîche
- 1 cuil. à café de paprika
- sel et poivre noir fraîchement moulu

1 Faites cuire 5 à 8 min les haricots verts, les carottes et les petits pois dans un grand faitout d'eau bouillante salée. Égouttez-les, puis rafraîchissez-les à l'eau froide. Égouttez-les de nouveau.

2 Mélangez dans un récipient résistant à la chaleur les jaunes d'œufs, la moutarde, le sucre, le jus de citron, la crème aigre et l'assaisonnement. Placez le récipient au bain-marie en remuant sans cesse jusqu'à ce que la sauce épaississe.

3 Retirez du feu, puis incorporez les légumes cuits, la pomme, le céleri et le fenouil. Mélangez bien, puis couvrez et mettez au réfrigérateur.

4 Coupez les œufs durs en deux dans le sens de la longueur. En prenant soin de conserver les blancs intacts, retirez les jaunes et déposez-les dans une jatte.

5 Ajoutez le persil, la chapelure, le paprika, un peu de sel et de poivre. Utilisez cette farce pour garnir les blancs d'œufs. Disposez les légumes conservés au réfrigérateur sur un plat de service, puis décorez-les avec les œufs farcis.

VARIANTE

Si la moutarde allemande est trop forte, remplacez-la par une moutarde à l'ancienne ou de l'estragon frais ciselé.

VIANDES ET VOLAILLES

*L'agneau, le bœuf, le veau et le poulet sont largement utilisés dans
la cuisine d'Europe centrale, même si le porc reste dominant.
Les rôtis sont bien représentés, ainsi que les viandes en cocotte et
les ragoûts, souvent servis avec des boulettes. La saveur aigre-douce
caractéristique de cette région est mise en évidence dans les sauces
à base de câpres, de pickles et de choucroute. En Hongrie, toutefois,
la présence du paprika a favorisé l'apparition de plats distincts,
dont le goulash n'est que l'un des nombreux représentants.*

Gigot d'agneau, sauce aux cornichons

En Hongrie, l'agneau est généralement réservé aux grandes occasions et aux fêtes traditionnelles. L'acidité de la sauce offre un contraste inhabituel avec la riche saveur de l'agneau.

INGRÉDIENTS

Pour 6 à 8 personnes

- 1 gigot d'agneau de 1,75 kg
- 3 cuil. à soupe de gros sel
- le zeste finement râpé d'1 citron
- 50 g de beurre
- 4 brins de romarin
- 1 poignée de persil plat
- quelques brins de romarin et de persil, pour garnir
- chou rouge braisé, pour garnir

Pour la sauce aux cornichons

- 8 à 10 cornichons
- 25 g de beurre
- 50 g de farine
- 25 g de bouillon d'agneau
- 1 généreuse pincée de safran
- 2 cuil. à soupe de crème aigre
- 2 cuil. à café de vinaigre de vin blanc
- sel et poivre noir fraîchement moulu

1 Préchauffez le four à 180 °C (th. 6). Aplatissez le gigot au rouleau et frottez-le de sel. Laissez macérer 30 min.

2 Mélangez le zeste de citron et le beurre. Posez le gigot dans un plat à four, puis tartinez-le de beurre citronné.

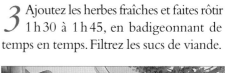

3 Ajoutez les herbes fraîches et faites rôtir 1 h 30 à 1 h 45, en badigeonnant de temps en temps. Filtrez les sucs de viande.

4 Pendant la cuisson du gigot, préparez la sauce aux cornichons. Hachez grossièrement les cornichons au mixer. Chauffez le beurre dans une casserole et faites cuire les cornichons 5 min, en remuant de temps en temps. Hors du feu, saupoudrez de farine et remuez 2 à 3 min.

5 Versez lentement le bouillon dans la casserole et portez à ébullition. Incorporez le safran. Laissez la sauce mijoter pendant encore 15 min.

6 Hors du feu, ajoutez la crème aigre, le vinaigre et les sucs de viande filtrés. Assaisonnez selon votre goût. Garnissez avec des herbes, puis servez accompagné de la sauce et de chou rouge.

ASTUCE

Laissez le gigot reposer 10 à 20 min, après la cuisson, afin que la viande soit plus tendre et ainsi plus facile à couper.

Goulash aux tomates et aux poivrons

Le goulash a voyagé depuis la Hongrie dans toute l'Europe ; il est notamment très apprécié en République tchèque et en Allemagne. Cette recette tchèque diffère de la véritable recette du goulash en raison de la présence de la farine. La saveur en est toutefois délicieuse avec les tomates, le paprika, les poivrons verts et la marjolaine.

INGRÉDIENTS

Pour 4 à 6 personnes

- 2 cuil. à soupe d'huile végétale ou de saindoux fondu (facultatif)
- 1 kg d'agneau maigre dégraissé et coupé en dés
- 1 gros oignon grossièrement émincé
- 2 gousses d'ail écrasées
- 3 poivrons verts épépinés et coupés en dés
- 2 cuil. à soupe de paprika
- 800 g de tomates olivettes concassées, en boîte
- 1 cuil. à soupe de persil plat ciselé
- 1 cuil. à café de marjolaine fraîche ciselée
- 2 cuil. à soupe de farine
- 4 cuil. à soupe d'eau froide
- sel et poivre noir fraîchement moulu
- salade verte, pour servir

1 Chauffez l'huile ou le saindoux, si vous utilisez l'un de ces ingrédients, dans une poêle. Mettez à frire à sec, ou à rissoler les morceaux d'agneau 5 à 8 min, jusqu'à ce qu'ils dorent sur toutes les faces. Assaisonnez généreusement.

2 Ajoutez l'oignon et l'ail et faites cuire encore 2 min avant d'incorporer les poivrons verts et le paprika.

3 Versez les tomates et suffisamment d'eau, si nécessaire, pour couvrir la viande. Incorporez les herbes. Portez à ébullition, réduisez le feu, couvrez et laissez mijoter à feu très doux pendant 1 h 30. L'agneau doit être cuit.

4 Mélangez la farine avec l'eau froide et versez dans le ragoût. Amenez à nouveau à ébullition, puis réduisez le feu et laissez cuire jusqu'à ce que la sauce épaississe. Rectifiez l'assaisonnement et servez le goulash accompagné de salade verte croquante.

Filet de porc farci aux pruneaux

Le porc est la viande la plus appréciée en Allemagne. Les biscuits au gingembre écrasés sont souvent employés pour épaissir une sauce, et lui ajouter couleur et saveur.

INGRÉDIENTS

Pour 4 personnes

- 1,5 kg de filet de porc en saumure ou fumé
- 75 g de pruneaux dénoyautés finement hachés
- 3 cuil. à soupe de jus de pommes ou d'eau
- 75 g de biscuits au gingembre émiettés
- 3 gousses de cardamome
- 1 cuil. à soupe d'huile de tournesol
- 1 oignon haché
- 25 cl de vin rouge sec
- 1 cuil. à soupe de cassonade
- sel et poivre noir fraîchement moulu
- pruneaux dénoyautés, rondelles de pommes et de poireaux revenues au beurre, et chou vert cuit à la vapeur, pour servir

1 Préchauffez le four à 230 °C (th. 8). Placez le porc, le gras contre la planche à découper. Faites une entaille de 3 cm de profondeur sur toute la longueur jusqu'à 1 cm des bords, puis 2 autres entailles de gauche à droite, afin de créer 2 poches dans la viande.

2 Mettez les pruneaux dans un bol. Versez le jus de pommes ou l'eau, puis ajoutez les biscuits émiettés. Retirez les graines de cardamome de leurs gousses et écrasez-les avec un pilon dans un mortier, ou sur une planche avec un rouleau à pâtisserie. Ajoutez-les, salez et poivrez.

3 Mélangez bien la farce aux pruneaux et garnissez-en les poches de la viande.

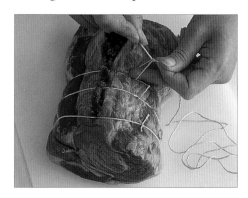

4 Attachez le rôti de porc à intervalles réguliers avec de la ficelle. Chauffez l'huile dans un plat à four posé sur le feu et faites dorer le rôti à feu vif. Retirez la viande et réservez.

5 Ajoutez l'oignon haché et faites revenir 10 min. Lorsqu'il est doré, remettez le porc dans le plat, arrosez avec le vin, puis ajoutez le sucre, du sel et du poivre.

6 Faites rôtir 10 min, puis réduisez la température du four à 180 °C (th. 6). Faites rôtir, à découvert, encore 1 h 50. Le rôti doit être cuit et bien doré.

7 Retirez le rôti du plat et gardez au chaud. Filtrez les sucs de viande dans une petite casserole et faites mijoter pendant 10 min, jusqu'à ce qu'ils aient légèrement réduit. Découpez le rôti et servez, avec la sauce à part, accompagné de pruneaux dénoyautés, de rondelles de pommes et de poireaux rissolées dans du beurre, ainsi que de chou vert cuit à la vapeur.

Côtes de porc aux épices

Choisissez des côtes bien charnues, et ôtez l'excès de graisse avant de les cuire, car les jus de cuisson serviront à préparer une sauce délicieuse.

INGRÉDIENTS

Pour 6 personnes

- 25 g de farine
- 1 cuil. à café de sel
- 1 cuil. à café de poivre noir moulu
- 1,5 kg de côtelettes de porc
- 2 cuil. à soupe d'huile de tournesol
- 1 oignon finement émincé
- 1 gousse d'ail écrasée
- 3 cuil. à soupe de purée de tomates
- 2 cuil. à soupe de sauce au piment
- 2 cuil. à soupe de vinaigre de vin rouge
- 1 pincée de clous de girofle
- 60 cl de bouillon de bœuf
- 1 cuil. à soupe de farine de maïs
- persil plat, pour garnir
- choucroute et pain croustillant, pour servir

1 Préchauffez le four à 180 °C (th. 6). Mélangez la farine, le sel et le poivre dans un plat creux. Ajoutez les côtes et enduisez-les bien de farine.

2 Chauffez l'huile dans une grande poêle, puis faites cuire les côtes, en les retournant jusqu'à ce qu'elles soient bien dorées. Transférez-les dans un plat à four et parsemez-les d'oignon émincé.

ASTUCE

Vous pouvez faire mariner les côtes dans de l'huile de tournesol et du vinaigre de vin.

3 Dans une jatte, mélangez l'ail, la purée de tomates, la sauce au piment, le vinaigre, les clous de girofle et le bouillon. Versez sur les côtes, puis couvrez de papier aluminium. Faites rôtir 1 h 30. Retirez le papier au bout d'1 h de cuisson.

4 Transférez les sucs de cuisson dans une petite casserole. Dans un bol, mélangez la farine de maïs avec un peu d'eau froide. Incorporez le mélange à la sauce, portez à ébullition en remuant et laissez mijoter 2 à 3 min, jusqu'à épaississement de la sauce.

5 Disposez les côtes de porc sur un lit de choucroute, puis arrosez avec un peu de sauce. Servez le reste de sauce à part dans une saucière préchauffée. Garnissez de persil plat et servez accompagné de choucroute et de pain croustillant.

Ragoût de porc à la choucroute

Un excellent mélange de saveurs traditionnelles d'Europe centrale.

INGRÉDIENTS

Pour 4 à 6 personnes

- 2 cuil. à soupe d'huile végétale ou de saindoux
- 2 oignons finement émincés
- 2 gousses d'ail écrasées
- 1 kg de porc maigre coupé en dés de 5 cm
- 1 cuil. à café de graines de carvi (facultatif)
- 1 cuil. à soupe d'aneth frais ciselé
- 90 cl de bouillon de porc ou de légumes tiède
- 1 kg de choucroute égouttée
- 1 cuil. à soupe de paprika
- sel
- aneth, pour garnir
- crème aigre au paprika et piments en pickles (facultatif), pour servir

1 Chauffez l'huile ou le saindoux dans une cocotte, puis faites revenir l'oignon et les gousses d'ail.

2 Ajoutez les dés de porc et faites rissoler. Lorsqu'ils sont dorés, parsemez avec les graines de carvi et l'aneth, puis versez le bouillon. Laissez cuire pendant 1 h à feu doux.

3 Incorporez la choucroute égouttée dans la cocotte, avec le porc et le paprika. Laissez mijoter à feu doux pendant 45 min. Salez selon votre goût.

4 Garnissez le ragoût avec un peu d'aneth. Servez-le accompagné de crème aigre saupoudrée de paprika et de piments au vinaigre.

Bigosch

La bière blonde présente dans cette recette sert à attendrir la viande et à en relever le goût. Composé de morceaux de viande divers, c'est un plat très nourrissant.

INGRÉDIENTS

Pour 6 personnes

- 3 cuil. à soupe d'huile de tournesol
- 250 g de lard maigre fumé, sans la couenne et coupé en dés
- 450 g de porc maigre dans l'épaule, dégraissé et coupé en dés de 2,5 cm
- 1 gros oignon émincé
- 1 kg de pommes de terre coupées en grosses rondelles
- 25 cl de bière blonde
- 250 g de saucisson à l'ail allemand, dépiauté et coupé en rondelles
- 500 g de choucroute égouttée
- 2 pommes rouges de table, évidées et émincées
- 1 cuil. à café de graines de carvi
- sel et poivre noir fraîchement moulu

1 Préchauffez le four à 180 °C (th. 6). Faites chauffer 2 cuillerées à soupe d'huile dans une cocotte. Mettez à frire le lard 2 à 3 min, puis les morceaux de porc. Réservez.

2 Ajoutez le reste d'huile dans la cocotte et faites fondre 10 min l'oignon à feu doux. Remettez la viande dans la cocotte et ajoutez les pommes de terre.

3 Versez la bière et portez à ébullition. Couvrez et laissez cuire 45 min.

4 Incorporez le saucisson à l'ail, la choucroute égouttée, les pommes et les graines de carvi. Salez et poivrez. Remettez sur le feu et laissez cuire encore 30 min. La viande doit être tendre.

Rôti de veau farci

La viande de veau est souvent aplatie en fines escalopes qui sont ensuite roulées autour de farces diverses. Ici, le mélange de veau, lard, œuf et jambon compose une farce délicieuse.

INGRÉDIENTS

Pour 4 à 6 personnes

- 1,5 kg de veau ou de porc maigre dans l'épaule, coupé en tranches de 2 cm
- 250 g de tranches de lard fumé
- 175 g de jambon émincé
- 4 œufs battus
- 3 cuil. à soupe de lait
- 3 cornichons au vinaigre émincés
- 120 g de beurre
- 3 cuil. à soupe de farine
- 35 cl d'eau ou de bouillon de poule
- sel et poivre noir fraîchement moulu
- carottes nouvelles, haricots et bâtonnets de fenouil au vinaigre, pour servir

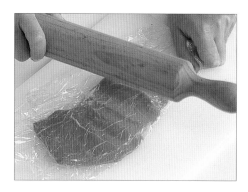

1 Préchauffez le four à 180 °C (th. 6). Placez le veau ou le porc entre 2 morceaux de film plastique et aplatissez la viande avec un maillet en bois ou un rouleau à pâtisserie.

2 Recouvrez chaque tranche de viande d'une couche de lard et de jambon. Battez les œufs dans une petite casserole avec le lait à feu doux, jusqu'à l'obtention d'œufs brouillés. Laissez refroidir.

3 Placez une couche d'œufs brouillés sur chaque tranche de viande en étalant bien avec un couteau, puis parsemez de cornichons émincés.

4 Roulez soigneusement chaque tranche à la manière d'un biscuit roulé. Liez à intervalles réguliers avec de la ficelle.

5 Chauffez le beurre dans une cocotte. Mettez les rouleaux de viande à dorer sur toutes les faces. Retirez la cocotte du feu. Ôtez la viande et réservez. Saupoudrez la farine dans la cocotte et remuez bien.

6 Remettez la cocotte sur le feu et faites cuire la sauce jusqu'à ce qu'elle brunisse légèrement, puis versez peu à peu la moitié de l'eau. Replacez les rouleaux de viande dans la cocotte et portez à ébullition, puis glissez la cocotte au four. Laissez rôtir 1 h 45 à 2 h, en versant le reste d'eau pendant la cuisson, si nécessaire, pour empêcher le veau de sécher.

7 Lorsque la viande est cuite, laissez les rouleaux reposer 10 min avant de les servir coupés en tranches. Servez accompagné du jus, de carottes nouvelles, de haricots verts et de fenouil.

Goulash à la hongroise

Le paprika est un ingrédient privilégié de la cuisine hongroise. Ce condiment en poudre épicé est à base d'un piment rouge doux cultivé dans la région depuis la fin du XVIᵉ siècle. Les bergers ajoutaient cette épice à la goulash, et les pêcheurs s'en servent dans leurs ragoûts.

INGRÉDIENTS

Pour 4 à 6 personnes

- 2 cuil. à soupe d'huile végétale ou de saindoux fondu
- 2 oignons émincés
- 1 kg de bœuf à braiser dégraissé et coupé en dés
- 1 gousse d'ail écrasée
- 1 généreuse pincée de graines de carvi
- 2 cuil. à soupe de paprika
- 1 tomate mûre et ferme, émincée
- 2,5 l de bouillon de bœuf
- 2 poivrons verts, épépinés et émincés
- 500 g de pommes de terre, coupées en dés
- sel

Pour les boulettes

- 2 œufs battus
- 6 cuil. à soupe de farine tamisée

1 Faites chauffer l'huile ou le saindoux dans une grande cocotte à fond épais. Ajoutez les oignons et faites-les fondre.

2 Incorporez les dés de bœuf à la cocotte, puis laissez cuire pendant 10 min, en remuant fréquemment, pour empêcher que la viande ne colle au fond du récipient.

3 Ajoutez l'ail, les graines de carvi et du sel. Retirez la cocotte du feu, puis incorporez le paprika et la tomate. Versez le bouillon et laissez cuire, à couvert et à feu doux pendant 1 h à 1 h 30. La viande doit rester tendre.

4 Ajoutez les poivrons et les pommes de terre dans la cocotte, et laissez cuire encore 20 à 25 min, en remuant de temps en temps.

5 Préparez les boulettes en mélangeant les œufs battus avec la farine et du sel. Les mains légèrement farinées, façonnez la pâte en boulettes, puis déposez-les dans le ragoût frémissant et laissez pocher 2 à 3 min. Elles doivent remonter à la surface du ragoût. Rectifiez l'assaisonnement, puis servez le goulash dans des assiettes chaudes.

Rôti de bœuf mariné aux légumes

Ce plat tchèque traditionnel utilise les meilleurs ingrédients, notamment le filet du bœuf. Si vous le remplacez par un autre morceau, prévoyez une cuisson plus longue.

INGRÉDIENTS

Pour 6 personnes

- 1 kg de filet de bœuf
- 2 tranches de lard sans la couenne, finement émincées
- 2 oignons finement émincés
- 2 carottes coupées en petits morceaux
- 2 navets coupés en petits morceaux
- 250 g de céleri-rave ou 4 branches de céleri, coupés en dés
- 2 feuilles de laurier
- 1/2 cuil. à café de quatre-épices
- 1 cuil. à café de thym sec
- 2 cuil. à soupe de persil plat frais ciselé
- 25 cl de vinaigre de vin rouge
- 4 cuil. à soupe d'huile d'olive
- 50 g de beurre
- 1/2 cuil. à café de sucre
- sel et poivre noir fraîchement moulu
- 12 cl de crème aigre
- persil plat, pour garnir

Pour les boulettes

- 6 grosses pommes de terre pelées et coupées en quatre
- 115 g de farine
- 2 œufs battus

1 La veille, lardez le bœuf avec les tranches de lard et assaisonnez-le généreusement.

2 Placez le bœuf dans un plat non métallique, puis recouvrez-le avec les légumes et les feuilles de laurier.

3 Dans un autre plat, mélangez le thym, le quatre-épices, le persil, le vinaigre et la moitié de l'huile d'olive. Versez sur le filet de bœuf. Couvrez de film plastique et placez au réfrigérateur. Laissez 2 à 3 h, voire plus. Badigeonnez la viande de temps en temps avec la marinade.

4 Préchauffez le four à 180 °C (th. 6). Chauffez le reste d'huile dans une casserole, puis mettez le filet de bœuf à dorer sur toutes les faces. Transférez-le dans un grand plat à four. Versez un peu d'eau dans la casserole pour la déglacer, remuez bien, puis versez sur la viande.

5 Répartissez la marinade aux légumes autour du filet que vous parsemez de morceaux de beurre. Saupoudrez avec le sucre. Faites rôtir 1 h 15 à 1 h 30, en badigeonnant de temps en temps.

ASTUCE

Larder une viande consiste à enfoncer dans de petites entailles des morceaux de lard pour lui conserver son moelleux et sa tendreté à la cuisson. On peut les insérer à l'aide des doigts ou d'une lardoire.

6 Pendant ce temps, préparez les boulettes. Faites cuire les pommes de terre 15 à 20 min, égouttez-les et réduisez-les en purée. Mélangez-les avec la farine et la moitié des œufs. Lorsque la farine est absorbée, ajoutez le reste d'œufs.

7 Transférez la purée de pommes de terre sur une surface légèrement farinée et façonnez-la en 2 «saucisses» d'égale longueur. Portez de l'eau salée à ébullition et pochez les «saucisses» pendant 20 min environ. Laissez refroidir un peu avant de découper en morceaux.

8 Pendant la cuisson des boulettes, retirez le rôti du plat et laissez-le reposer avant de le découper. Retirez une cuillerée à soupe de légumes cuits et réservez pour la garniture. À l'aide d'un mixer, réduisez en purée le reste des légumes avec les sucs de viande.

9 Réchauffez la purée de légumes dans une casserole. Salez et poivrez à votre goût. Ajoutez un peu d'eau pour allonger la sauce. Incorporez la crème aigre. Servez le bœuf coupé en tranches avec la sauce et les boulettes, et garni des légumes réservés et des brins de persil.

Sauerbraten

Ce plat doit son nom à sa marinade aigre-douce.

INGRÉDIENTS

Pour 6 personnes

- 1 kg de rosbif dans la tranche
- 2 cuil. à soupe d'huile de tournesol
- 1 oignon émincé
- 120 g de lard fumé coupé en lardons
- 1 cuil. à soupe de farine de maïs
- 50 g de biscuits au gingembre écrasés
- persil plat, pour garnir
- pâtes au beurre, pour servir

Pour la marinade

- 2 oignons émincés
- 1 carotte coupée en rondelles
- 2 branches de céleri émincées
- 60 cl d'eau
- 15 cl de vinaigre de vin rouge
- 1 feuille de laurier
- 6 clous de girofle
- 6 grains de poivre noir
- 1 cuil. à soupe de cassonade
- 2 cuil. à café de sel

1 Pour préparer la marinade, déposez les oignons, la carotte et le céleri dans une casserole avec l'eau. Portez à ébullition et laissez mijoter pendant 5 min. Ajoutez le reste des ingrédients de la marinade et laissez cuire encore 5 min. Couvrez et laissez refroidir.

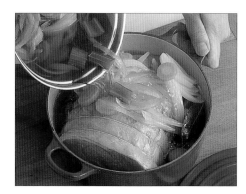

2 Placez la viande dans une cocotte. Arrosez avec la marinade, couvrez et laissez mariner au réfrigérateur 3 jours si possible, en la retournant tous les jours.

3 Retirez la viande de la marinade et séchez-la soigneusement avec du papier absorbant. Chauffez l'huile dans une grande poêle et faites dorer le rôti sur toutes les faces à feu vif. Retirez-le et réservez. Mettez l'oignon émincé à revenir dans la cocotte, pendant 5 min. Incorporez le lard et laissez cuire encore 5 min. Il doit dorer légèrement.

4 Filtrez la marinade, en réservant le liquide. Déposez l'oignon et le lard dans une grande cocotte posée sur le feu, puis ajoutez le rôti. Versez le liquide de la marinade. Portez lentement à ébullition, couvrez et laissez mijoter à feu doux 1 h 30 à 2 h. La viande doit être très tendre.

5 Retirez la viande et gardez-la au chaud. Dans un bol, mélangez la farine de maïs avec un peu d'eau froide. Ajoutez au liquide de cuisson avec les biscuits émiettés et portez à ébullition, en remuant. Coupez le rôti en tranches épaisses et servez sur un lit de tagliatelles au beurre. Garnissez avec des brins de persil plat et servez le jus à part.

Poulet aux champignons sauvages et à l'ail

Ce poulet rôti doit son parfum à la présence discrète d'herbes fraîches.

INGRÉDIENTS

Pour 4 personnes

- 3 cuil. à soupe d'huile d'olive ou végétale
- 1 poulet de 1,5 kg
- 1 gros oignon finement émincé
- 3 branches de céleri émincées
- 2 gousses d'ail écrasées
- 275 g de champignons sauvages frais, émincés si nécessaire
- 1 cuil. à café de thym frais émietté
- 25 cl de bouillon de poulet
- 25 cl de vin blanc sec
- le jus d'1 citron
- 2 cuil. à soupe de persil frais haché
- 12 cl de crème aigre
- sel et poivre noir fraîchement moulu
- persil plat, pour garnir
- haricots verts frais, pour servir

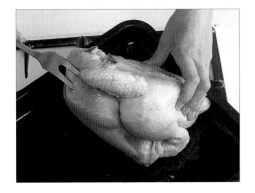

1 Préchauffez le four à 190 °C (th. 6). Chauffez l'huile dans un plat à four, puis faites dorer le poulet sur toutes les faces.

2 Ajoutez l'oignon et faites-le revenir 2 min. Incorporez les 4 ingrédients suivants et laissez cuire encore 3 min.

3 Versez le bouillon de poulet, le vin et le jus de citron dans le plat à four. Parsemez-en la moitié du poulet et assaisonnez largement. Enfournez le poulet et laissez cuire 1 h 30 à 1 h 45, en le badigeonnant de temps en temps.

ASTUCE

Lavez soigneusement les champignons sauvages pour éliminer les impuretés, ou remplacez-les par des variétés de culture.

4 Retirez le poulet du plat et gardez-le au chaud. Posez le plat sur le feu et incorporez la crème aigre en faisant chauffer doucement. Ajoutez un peu de bouillon ou d'eau si nécessaire afin d'obtenir une sauce suffisamment liquide.

5 Disposez le poulet sur un plat, entouré des champignons à la crème. Garnissez avec les brins de persil et servez le poulet accompagné de la sauce et de haricots verts frais.

Poulet au vin blanc

En Hongrie, cette recette est préparée avec du vin blanc appelé *badacsonyi këkryalii,* au corps et au bouquet très particuliers.

INGRÉDIENTS
Pour 4 personnes
- 1 poulet de 1,5 kg nourri aux grains de maïs
- 50 g de beurre
- 4 ciboules émincées
- 120 g de lard fumé sans la couenne, coupé en lardons
- 2 feuilles de laurier
- 1 branche d'estragon
- 4 cuil. à soupe de xérès doux
- 120 g de champignons de Paris, émincés
- 30 cl de *badacsonyi* ou de vin blanc sec
- sel
- estragon et feuilles de laurier, pour garnir
- riz cuit à la vapeur, pour servir

1 Chauffez le beurre dans une grande casserole à fond épais ou dans une cocotte et faites revenir les ciboules 1 à 2 min. Ajoutez le lard, les feuilles de laurier et l'estragon, en retirant les feuilles. Laissez cuire encore 1 min.

ASTUCE

Traditionnellement, cette recette est aromatisée avec un alcool doux à la saveur de caramel, appelée *màrc.* Vous pouvez le remplacer par du sherry ou du xérès.

2 Ajoutez le poulet entier et versez le xérès. Faites cuire à couvert et à feu très doux pendant 15 min.

3 Répartissez les champignons dans la cocotte, puis versez le vin. Laissez cuire à couvert encore 1 h. Puis découvrez la cocotte, badigeonnez le poulet de marinade au vin et laissez cuire à découvert encore 30 min, jusqu'à la presque totale évaporation du liquide.

4 Écumez le liquide de cuisson restant dans la poêle. Assaisonnez à votre goût et transférez le poulet, les légumes et le lard sur un plat de service. Garnissez avec de l'estragon et des feuilles de laurier, et servez accompagné de riz.

Oie rôtie aux pommes

Ganzebraten mit Apfeln symbolise le repas de Noël en Allemagne. Ici, l'oie est servie avec des pommes farcies aux noisettes et au miel.

INGRÉDIENTS
Pour 6 personnes
- 1 oie jeune de 4,5 à 5 kg, prête à cuire
- 120 g de raisins secs
- le zeste finement râpé et le jus d'1 orange
- 25 g de beurre
- 1 oignon finement émincé
- 75 g de noisettes hachées
- 175 g de chapelure fraîche
- 1 cuil. à soupe de miel blond crémeux
- 1 cuil. à soupe de marjolaine fraîche ciselée
- 2 cuil. à soupe de persil frais ciselé
- 6 pommes rouges de table
- 1 cuil. à soupe de jus de citron
- sel et poivre noir fraîchement moulu
- herbes fraîches, pour garnir
- quartiers d'orange, chou rouge et haricots verts, pour servir

1 Préchauffez le four à 220 °C (th. 8). Déposez les raisins secs dans un bol et arrosez de jus d'orange. Faites fondre le beurre dans une poêle et mettez l'oignon à revenir à feu doux 5 min.

2 Ajoutez les noisettes hachées et laissez cuire encore 4 à 5 min, jusqu'à ce qu'elles commencent à dorer.

3 Ajoutez l'oignon cuit et les noisettes aux raisins secs, avec 50 g de chapelure, le zeste d'orange, le miel, les herbes, du sel et du poivre. Mélangez bien.

4 Lavez les pommes et évidez-les en prévoyant un trou de 2 cm. À l'aide d'un couteau, pratiquez une fente autour du centre de chaque pomme. Badigeonnez la fente et le trou avec du jus de citron pour les empêcher de noircir.

5 Garnissez le centre de chaque pomme de farce aux noisettes et aux raisins.

6 Mélangez le reste de chapelure à la farce et farcissez l'oie par le croupion. Fermez avec une petite brochette.

7 Déposez l'oie dans un plat à four et piquez la peau avec une brochette. Faites rôtir 30 min, puis réduisez la température du four à 180 °C (th. 6) et laissez cuire encore 3 h, en éliminant plusieurs fois l'excès de graisse contenue dans le plat.

8 Disposez les pommes autour de l'oie et faites cuire 30 à 40 min. Laissez reposer l'oie dans un endroit chaud pendant 15 min avant de la découper. Garnissez l'oie avec des herbes fraîches, les pommes farcies, des quartiers d'orange, et servez accompagné de chou rouge et de haricots verts.

ASTUCE

Pour vérifier la cuisson de l'oie, piquez la cuisse avec une brochette. Elle est cuite si le jus qui s'échappe est jaune pâle. S'il est teinté de rose, prolongez la cuisson d'une dizaine de minutes.

POISSONS

*Les poissons d'eau douce d'Europe centrale comprennent la carpe,
le brochet, la truite, la brême et une sorte de poisson-chat.
Le cabillaud est un poisson d'eau de mer très apprécié. Le poisson
frais est souvent cuit au four ou poché et servi avec une sauce,
comme dans la recette allemande du saumon à la sauce moutarde,
ou dans la recette tchèque de la carpe à la sauce noire.
De nombreuses recettes sont restées inchangées depuis
des générations – telles les quenelles de poisson à la hongroise
datant du XVIIe siècle, ou la truite au bleu à l'allemande.*

Brochet aux champignons sauvages

Le brochet appartient à une importante famille de poissons que l'on trouve dans les rivières d'Europe. Sa saveur délicate, sa chair ferme, le rendent parfait pour une cuisson au four, avec une sauce crémeuse au paprika, aux champignons et aux poivrons.

INGRÉDIENTS

Pour 4 à 6 personnes

- 1 brochet entier d'environ 1,5 kg
- 120 g de beurre
- 120 g d'oignons finement émincés
- 250 g de champignons sauvages grossièrement émincés
- 1 cuil. à soupe de paprika
- 1 cuil. et 1/2 à soupe de farine
- 25 cl de crème aigre
- 1 cuil. à soupe de poivron vert émincé
- sel et poivre noir fraîchement moulu

1 Préchauffez le four à 190 °C (th. 6). Lavez, dépiautez et coupez le poisson en filets. Mettez les arêtes et la peau dans une grande casserole. Couvrez d'eau froide et portez à ébullition. Baissez le feu, assaisonnez et laissez mijoter le fumet 30 min.

— VARIANTE —

Vous pouvez remplacer le brochet par de la perche ou tout autre poisson à chair ferme.

2 Beurrez un plat à four, ajoutez les filets et assaisonnez légèrement.

3 Faites fondre le reste de beurre dans une poêle. Mettez les oignons à revenir à feu doux, 3 à 4 min, puis ajoutez les champignons. Laissez cuire encore 2 à 3 min, puis saupoudrez de paprika.

4 Passez le fumet de poisson, prélevez-en 25 cl avec une louche et versez sur les oignons et les champignons.

5 Mélangez la farine et la crème aigre, puis versez-les dans la poêle, sur le poisson. Faites cuire au four pendant 30 min. Juste avant de servir, répartissez les dés de poivron vert sur l'oignon et les champignons.

Carpe à la sauce noire

Ce plat tchèque est servi la nuit de Noël. Les carpes sont généralement vendues vivantes et conservées dans de l'eau douce – souvent dans la baignoire – jusqu'à leur utilisation.

INGRÉDIENTS

Pour 4 personnes

- 4 tranches épaisses de carpe ou de brème de mer
- 50 g de beurre
- 1 oignon émincé
- 2 carottes coupées en dés
- 2 petits navets coupés en dés
- 1/4 d'1 petit céleri-rave coupé en dés
- le jus d'1 citron
- 5 cl de vinaigre de vin rouge
- 17,5 cl de bière brune
- 8 grains de poivre noir
- 1/2 cuil. à café de quatre-épices
- 1 feuille de laurier
- 1 cuil. à café de thym frais émietté
- 1 morceau de racine de gingembre de 2 cm, pelé et râpé
- 1 zeste de citron
- 3 tranches de pain de seigle noir émiettées
- 2 cuil. à soupe de farine
- 1 cuil. à soupe de sucre
- 40 g de raisins secs
- 6 pruneaux
- 2 cuil. à soupe de noisettes ou d'amandes, grossièrement hachées
- sel et poivre noir fraîchement moulu
- ciboulette fraîche ciselée, pour garnir
- boulettes et pain frais, pour servir

1 Faites fondre la moitié du beurre dans une cocotte. Mettez l'oignon à revenir 2 à 3 min. Incorporez les carottes, les navets et le céleri. Laissez cuire encore 5 min.

2 Incorporez le jus de citron, le vinaigre et la bière brune. Versez suffisamment d'eau pour couvrir.

3 Placez les grains de poivre, le quatre-épices, la feuille de laurier, le thym, le gingembre et le zeste de citron dans une jatte. Salez et poivrez légèrement. Incorporez la chapelure, mélangez bien et ajoutez aux légumes. Laissez mijoter pendant 15 min.

4 Pendant ce temps, faites fondre le reste de beurre dans une petite casserole, puis saupoudrez-le de farine. Laissez cuire 1 à 2 min avant d'ajouter le sucre. Laissez cuire encore 2 à 3 min, jusqu'à ce que le sucre caramélise.

5 Versez peu à peu le bouillon de légumes sur la préparation à la farine, en remuant bien. Ajoutez le tout aux légumes, avec les raisins secs, les pruneaux, les noisettes et les amandes. Salez et poivrez.

6 Mettez les tranches de poisson à cuire sur les légumes, 12 à 15 min. Disposez le poisson sur des assiettes, égouttez les légumes, les fruits à coque et les fruits secs et disposez-les autour du poisson. Réduisez la sauce en la faisant bouillir à feu vif. Garnissez de ciboulette ciselée et accompagnez de boulettes et de pain frais.

Goulash au poisson

Ce plat complet est un compromis entre le ragoût et la soupe. Il est traditionnellement servi avec des piments cerise piquants au centre du plat et nappé de goulash.

INGRÉDIENTS

Pour 6 personnes

- ☙ 2 kg de poissons mélangés
- ☙ 4 gros oignons émincés
- ☙ 2 gousses d'ail écrasées
- ☙ 1/4 de céleri-rave coupé en dés
- ☙ 1 poignée de brins de persil
- ☙ 2 cuil. à soupe de paprika
- ☙ 1 poivron vert épépiné et émincé
- ☙ 2 cuil. à café de purée de tomates
- ☙ sel
- ☙ 10 cl de crème aigre et 3 petits poivrons (facultatif), pour servir

1 Dépiautez et détaillez le poisson en filets, puis coupez la chair en morceaux. Déposez les têtes, la peau et les arêtes des poissons dans un grand faitout avec les oignons, l'ail, le céleri, le persil, le paprika et le sel. Couvrez d'eau et portez à ébullition. Réduisez ensuite le feu et laissez mijoter 1 h 15 à 1 h 30. Passez le fumet.

2 Placez le poisson et le poivron vert dans une grande poêle et versez le fumet. Mélangez la purée de tomates avec un peu de bouillon et versez dans la poêle.

3 Faites cuire 10 à 12 min à feu doux, sans remuer, pour ne pas défaire le poisson. Ne laissez pas bouillir. Assaisonnez à votre goût. Transférez dans des assiettes creuses préchauffées et garnissez d'1 généreuse cuillerée à soupe de crème aigre et d'1/2 poivron.

Quenelles de poisson

Cette recette figure dans de nombreux ouvrages culinaires hongrois depuis le XVIIᵉ siècle.

INGRÉDIENTS

Pour 3 à 4 personnes

- ☙ 400 g de filets de poissons – du type perche, brochet ou morue – dépiautés
- ☙ 1 miche de pain blanc
- ☙ 5 cuil. à soupe de lait
- ☙ 1 cuil. et 1/2 à soupe de persil plat ciselé
- ☙ 2 œufs battus séparément
- ☙ 50 g de farine
- ☙ 50 g de chapelure fraîche
- ☙ huile pour friture
- ☙ sel et poivre noir fraîchement moulu
- ☙ brins de persil et quartiers de citron frits, saupoudrés de paprika, pour servir

1 Hachez grossièrement le poisson à la fourchette ou au mixer. Laissez tremper le pain dans le lait pendant 10 min environ, puis pressez-le pour en éliminer le lait. Mélangez le poisson et le pain avant d'ajouter le persil ciselé, 1 œuf, du sel et du poivre.

2 Avec le bout des doigts, façonnez la pâte en quenelles de 10 cm de long et 2,5 cm d'épaisseur.

3 Roulez délicatement ces quenelles de poisson dans la farine, puis dans le second œuf et enfin dans la chapelure.

4 Faites chauffer l'huile dans une poêle, puis faites cuire les quenelles jusqu'à ce qu'elles soient dorées sur toutes les faces. Égouttez soigneusement sur du papier absorbant. Garnissez avec des brins de persil frits et des quartiers de citron saupoudrés de paprika.

Flétan en sauce

Les tranches de flétan sont cuites avec du lard et du vin, puis nappées d'une sauce à la crème et grillées.

INGRÉDIENTS

Pour 4 personnes

- 1 petit oignon émincé
- 4 brins de persil
- 1 feuille de laurier
- 6 grains de poivre noir
- 15 cl de vin blanc
- 8 tranches de lard sans la couenne
- 4 tranches de flétan, d'environ 900 g en tout
- 2 cuil. à café de farine
- 15 g de beurre ramolli
- 2 pincées de sel
- 1 pincée de paprika
- 12 cl de crème fraîche épaisse, légèrement fouettée
- 25 g de parmesan râpé
- feuilles de sauge, pour garnir
- parmesan, paprika et citron, pour servir

1 Préchauffez le four à 180 °C (th. 6). Déposez l'oignon, le persil, la feuille de laurier, le poivre noir et le vin dans une petite casserole. Portez à ébullition, puis couvrez et laissez mijoter pendant 15 min. Réservez le fumet.

2 Faites légèrement dorer les tranches de lard dans une poêle à fond anti-adhésif. Disposez les tranches de poisson dans un plat à four graissé. Recouvrez avec le lard.

3 Passez le vin dans le plat, en retirant l'oignon et les herbes, puis faites cuire au four 12 à 15 min. Le poisson doit être juste cuit.

4 Retirez et réservez les tranches de lard. Passez le liquide de cuisson du poisson dans une casserole et portez à ébullition.

5 Dans un bol, mélangez la farine et le beurre jusqu'à l'obtention d'une pâte. Incorporez-la en fouettant dans la casserole contenant le fumet et laissez mijoter 3 à 4 min. Salez et saupoudrez de paprika. Ajoutez la crème à la sauce.

6 Transférez le poisson sur des assiettes. Nappez de sauce et parsemez de parmesan râpé. Placez sous le gril préchauffé à température moyenne 3 à 4 min. Servez immédiatement garni avec le lard réservé coupé en lardons et des feuilles de sauge. Accompagnez de parmesan, de paprika et de rondelles de citron.

Carpe au four

La carpe est un ingrédient essentiel de la cuisine hongroise. Sa chair ferme, savoureuse, s'accommode merveilleusement d'une cuisson au four avec du lard et du laurier.

INGRÉDIENTS

Pour 4 à 6 personnes

- 1 carpe entière d'environ 900 g, dépiautée, dépecée en filets et coupée en morceaux de 7,5 cm
- 500 g de pommes de terre grattées
- 120 g de lard fumé sans la couenne
- 8 à 12 feuilles de laurier
- 1 cuil. à soupe de saindoux
- 1 oignon finement émincé
- 1 cuil. à soupe de paprika
- 1 grosse tomate coupée en rondelles
- 2 poivrons verts épépinés et émincés
- 40 g de beurre fondu
- 15 cl de crème aigre
- sel
- feuilles de laurier, pour garnir

1 Préchauffez le four à 190 °C (th. 6). Faites cuire les pommes de terre en robe des champs dans une grande casserole d'eau salée 15 à 20 min. Égouttez-les et coupez-les en rondelles.

2 Coupez le lard en lanières. Incisez les filets de poisson, puis glissez-y les lanières de lard et des feuilles de laurier.

ASTUCE

D'une saveur prononcée, le lard se marie bien avec le poisson blanc ; cette association existe dans plusieurs recettes européennes.

---

3 Déposez les pommes de terre dans un grand plat bien beurré. Salez.

4 Faites fondre le saindoux, puis mettez l'oignon à rissoler 1 à 2 min. Saupoudrez de paprika. Disposez l'oignon sur les rondelles de pommes de terre.

5 Couvrez d'une couche de tomates et de poivrons, puis ajoutez le poisson et salez légèrement.

6 Versez le beurre fondu sur le poisson. Faites cuire au four pendant 30 min. Nappez avec la crème aigre et laissez cuire encore 15 min. Servez garni de feuilles de laurier.

Truites au bleu

La nuance bleue de la *blau forelle* est une spécialité allemande. Elle s'obtient en ébouillantant les truites, puis en les éventant pour les refroidir. La tradition veut qu'on laisse reposer le poisson à l'air, voire dans un courant d'air.

INGRÉDIENTS

Pour 4 personnes

- 4 truites, d'environ 175 g chacune
- 1 cuil. à café de sel
- 60 cl de vinaigre de vin blanc
- 1 oignon émincé
- 2 feuilles de laurier
- 6 grains de poivre noir
- feuilles de laurier et rondelles de citron, pour garnir
- 120 g de beurre fondu, sauce au raifort crémeuse et haricots verts, pour servir

1 Préchauffez le four à 180 °C (th. 6). Frottez les truites sur toutes les faces avec le sel, puis disposez-les dans un plat à four qui ne soit pas en aluminium.

2 Portez le vinaigre à ébullition et versez lentement sur les truites. Éventez le poisson pour qu'il refroidisse.

3 Faites de nouveau bouillir le vinaigre, puis ajoutez l'oignon, les feuilles de laurier et les grains de poivre.

4 Couvrez le plat avec du papier aluminium et laissez cuire au four pendant 30 min. Disposez le poisson dans des assiettes chaudes, garnissez de feuilles de laurier et de rondelles de citron et servez accompagné de beurre fondu, de sauce au raifort et de haricots verts.

Saumon au four

Cette recette tchèque privilégie les poissons d'eau douce comme le saumon ou la truite, mais on peut également utiliser un poisson d'eau de mer comme le maquereau. Très facile à réaliser, ce poisson cuit dans son jus a un goût délicieux.

INGRÉDIENTS

Pour 6 personnes

- 1 saumon entier d'environ 1,75 kg
- 120 g de beurre fondu
- 1/2 à 1 cuil. à café de graines de carvi
- 3 cuil. à soupe de jus de citron
- sel et poivre noir fraîchement moulu
- brins d'aneth et quartiers de citron, pour garnir

ASTUCE

Pour mieux saisir le poisson au moment de le couper, plongez vos doigts dans du sel.

---

1 Préchauffez le four à 180 °C (th. 6). À l'aide d'un couteau, coupez le poisson en deux dans le sens de la longueur.

2 Placez les moitiés de saumon, la peau en dessous, dans un plat à four légèrement graissé et badigeonnez-les avec le beurre fondu. Salez, poivrez, parsemez de graines de carvi et arrosez de jus de citron.

3 Faites cuire le saumon 25 min au four, recouvert de papier aluminium. La chair doit s'émietter facilement.

4 Posez le poisson sur un plat de service. Garnissez de brins d'aneth et de quartiers de citron. Servez chaud ou froid.

Poisson mariné

Cette marinade, qui mêle différentes saveurs, est très parfumée.

INGRÉDIENTS

Pour 6 à 8 personnes

- 1,75 kg de tranches de thon ou carpe
- 75 g de beurre fondu
- 5 cl de xérès sec
- sel et poivre noir fraîchement moulu

Pour la marinade

- 40 cl d'eau
- 15 cl de vinaigre de vin
- 15 cl de fumet de poisson
- 1 oignon finement émincé
- 6 grains de poivre blanc
- 1/2 cuil. à café de quatre-épices
- 2 clous de girofle
- 1 feuille de laurier
- 1 cuil. et 1/2 à soupe de câpres en conserve, égouttées et émincées
- 2 cornichons émincés
- 12 cl d'huile d'olive
- salade verte, cornichons au vinaigre et pain de seigle, pour servir

1 Faites préchauffer le four à 180 °C (th. 6). Disposez les tranches de poisson dans un plat à four, puis badigeonnez-les avec le beurre. Arrosez avec le xérès. Salez et poivrez largement et faites cuire au four 20 à 25 min.

2 Pendant ce temps, faites bouillir l'eau, le vinaigre, le fumet, l'oignon et les épices dans une casserole pendant 20 min. Laissez refroidir avant d'ajouter les câpres, les cornichons et l'huile d'olive.

3 Lorsque les tranches de poisson sont froides, arrosez-les avec la marinade.

4 Couvrez le plat de film plastique et laissez mariner 24 h au réfrigérateur, en arrosant de temps en temps. Servez accompagné d'une salade verte, de cornichons au vinaigre et de tranches de pain de seigle noir.

Cabillaud à la moutarde

Poisson à chair blanche et ferme, le cabillaud abonde dans la mer du Nord et, par conséquent, dans la gastronomie allemande. Le fumet de poisson utilisé ici tend à remplacer ceux à base de farine, plus lourds, privilégiés autrefois.

INGRÉDIENTS

Pour 4 personnes

- 900 g de filets de cabillaud
- 1 citron
- 1 petit oignon émincé
- 15 g de persil plat frais (avec les tiges)
- 6 baies de quatre-épices
- 6 grains de poivre noir
- 1 clou de girofle
- 1 feuille de laurier
- 1,2 l d'eau
- 2 cuil. à soupe de moutarde à l'ancienne
- 75 g de beurre
- sel et poivre noir fraîchement moulu
- persil plat ciselé et feuilles de laurier, pour garnir
- pommes de terre et carottes cuites à l'eau, pour servir

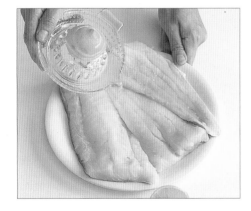

1 Placez les filets de poisson sur un plat. Prélevez 2 fins zestes de citron, puis pressez le citron et versez le jus sur le poisson.

2 Déposez le zeste de citron dans une grande poêle avec l'oignon, les tiges du persil plat, le quatre-épices, les grains de poivre, le clou de girofle et la feuille de laurier.

3 Mouillez avec l'eau. Portez doucement à ébullition, couvrez et laissez mijoter 20 min. Ajoutez le poisson et laissez cuire à couvert, à feu très doux, pendant 10 min.

4 Versez 25 cl du liquide de cuisson dans une casserole et faites-le frémir jusqu'à ce qu'il ait réduit de moitié. Ajoutez la moutarde.

5 Incorporez le beurre par petites quantités tout en fouettant. Goûtez et rectifiez l'assaisonnement si nécessaire.

6 Disposez les filets de poisson sur des assiettes chaudes. Arrosez d'un peu de sauce et servez le reste à part dans une saucière. Garnissez de persil et de feuilles de laurier et accompagnez de pommes de terre en robe des champs et de carottes.

LÉGUMES, CÉRÉALES ET PÂTES

La culture maraîchère constitue une part importante de l'économie locale dans l'Europe centrale rurale. Les légumes sont conservés toute l'année dans le sel ou le vinaigre, ou consommés frais. Les pommes de terre représentent un ingrédient essentiel de l'alimentation – servies chaudes, en galettes ou froides en salades. Le spätzle, un plat de pâtes, est très populaire dans le sud de l'Allemagne. Les légumes secs sont servis seuls ou en accompagnement du plat principal, afin de procurer un apport supplémentaire de protéines, en particulier dans la cuisine tchèque ou hongroise.

Salade de pommes de terre

Préférez des pommes de terre
nouvelles pour confectionner
cette salade, car elles auront moins
tendance à se défaire à la cuisson.

INGRÉDIENTS

Pour 6 personnes

- 750 g de pommes de terre grattées
- 3 cuil. à soupe d'huile d'olive
- 4 tranches de lard fumé sans
  la couenne, détaillées en lardons
- 2 cuil. à café de jus de citron
- 2 branches de céleri coupées en dés
- 2 concombres molossol coupés en dés
- 1 cuil. à café de moutarde allemande
- 3 cuil. à soupe de mayonnaise
- 2 cuil. à soupe de ciboulette fraîche
  ciselée
- 1 cuil. à soupe d'aneth frais ciselé
- sel et poivre noir fraîchement moulu
- ciboulette et aneth frais, pour garnir

1 Faites cuire les pommes de terre dans
une casserole d'eau salée pendant
15 min. Égouttez-les, laissez-les refroidir 5 min, puis coupez-les en rondelles
épaisses et réservez dans une jatte.

ASTUCE

La moutarde allemande est de couleur
foncée, moyennement forte et légèrement
sucrée. Elle est idéale pour accompagner
les saucisses, le jambon et le lard.

2 Chauffez 1 cuillerée à soupe d'huile
dans une poêle, puis faites rissoler
le lard 5 min, afin qu'il soit croustillant.
Retirez-le de la poêle et réservez.

3 Versez le reste d'huile et le jus de
citron dans la poêle, puis arrosez-en
les rondelles de pommes de terre. Ajoutez
le céleri, le concombre et la moitié du
lard en mélangeant. Laissez refroidir.

4 Dans un petit bol, mélangez la moutarde, la mayonnaise, les herbes, le sel
et le poivre. Ajoutez-les aux pommes
de terre et mélangez bien. Déposez les
pommes de terre dans un plat de service,
puis parsemez-les du reste de lard. Garnissez avec des herbes fraîches et servez
accompagné de feuilles de laitue.

Pommes ciel et terre

Originaire de la Rhénanie, cette recette dont le nom allemand *Himmel und Erde* signifie « ciel et terre », mélange pommes de terre et pommes en l'air. Elle est accompagnée de rondelles de boudin noir et d'oignon rissolées.

INGRÉDIENTS
Pour 4 personnes
- 450 g de pommes de terre farineuses, pelées et coupées en quartiers
- 350 g de pommes à cuire, évidées, pelées et réduites en purée
- 50 g de beurre
- 2 clous de girofle
- 1 pincée de noix muscade
- 2 cuil. à soupe d'huile de tournesol
- 350 g de *blutwurst* (boudin noir), coupé en rondelles de 1 cm d'épaisseur
- 1 oignon coupé en rondelles
- sel et poivre noir fraîchement moulu

1 Faites cuire les pommes de terre dans une casserole d'eau salée pendant 20 min. Égouttez-les bien.

2 Dans le même temps, déposez les pommes et 15 g de beurre dans une petite casserole avec les clous de girofle. Faites cuire à feu doux 10 min.

3 Ôtez les clous de girofle et ajoutez les pommes cuites aux pommes de terre avec le reste de beurre, la noix de muscade, du sel et du poivre.

4 Réduisez le mélange en une purée onctueuse et crémeuse. Transférez sur un plat de service et gardez au chaud.

5 Chauffez l'huile dans une poêle et faites cuire le boudin 5 min. Retirez-le de la poêle avec une écumoire et disposez-le à côté de la purée.

6 Déposez les rondelles d'oignon dans la poêle et faites rissoler 12 à 15 min jusqu'à ce qu'elles dorent légèrement. Disposez-les sur la purée et servez chaud.

Chou-rave au jambon

Le chou-rave, *kohlrabi* en allemand, est apparenté au chou, mais d'une saveur proche de celle du navet. Il peut être pourpre ou vert pâle ; il est délicieux cru, râpé et saupoudré de sel, ou cuit. Les feuilles sont également comestibles – on les accommode comme des épinards.

Ingrédients

Pour 4 personnes

- 4 choux-raves pelés et coupés en dés
- 250 g de jambon épais, coupé en dés
- 50 g de beurre
- 2 cuil. à soupe de persil frais ciselé

Pour la sauce

- 3 jaunes d'œufs
- 25 cl de crème fraîche épaisse
- 2 cuil. à soupe de farine
- 1 pincée de macis
- sel et poivre noir fraîchement moulu

1 Préchauffez le four à 180 °C (th. 6). Faites fondre le beurre dans une grande poêle, puis mettez à cuire le chou-rave à feu doux 8 à 10 min.

2 Disposez la moitié du chou-rave dans le fond d'un plat à four graissé. Recouvrez avec le jambon et le persil, puis avec le reste de chou-rave.

Astuce

Choisissez les choux-raves les plus petits possibles, car ils seront plus savoureux.

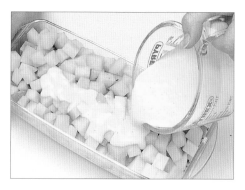

3 Battez ensemble tous les ingrédients de la sauce et versez dans le plat. Faites cuire au four 30 à 35 min jusqu'à ce que le dessus soit doré.

Céleri poché au vin

Cette méthode simple mais délicieuse de présenter le céleri peut également s'appliquer au chou-rave, au chou-fleur ou au poireau. Optez pour un fromage à pâte dure d'une saveur moyennement prononcée.

Ingrédients

Pour 4 personnes

- 4 cœurs de céleri
- 25 g de beurre
- 25 cl de vin blanc
- sel et poivre noir fraîchement moulu
- 1 cuil. à soupe de persil frais ciselé, pour garnir
- fromage râpé, pour servir

1 Grattez le céleri et retirez les extrémités. Coupez les cœurs en deux dans le sens de la longueur.

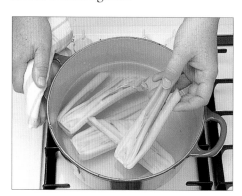

2 Faites-les blanchir dans une casserole d'eau bouillante salée pendant 5 min. Égouttez-les et rincez-les rapidement sous l'eau froide. Séchez-les avec du papier absorbant.

3 Faites fondre le beurre dans une poêle, puis mettez à cuire le céleri à feu doux 1 à 2 min. Versez le vin et portez à ébullition. Réduisez le feu.

4 Laissez frémir 5 min à découvert. Le céleri doit être juste tendre. Égouttez-le bien. Parsemez de persil et de poivre et servez accompagné de fromage râpé.

Haricots Somogy

Cette recette est originaire de Somogy, en Hongrie. Mais chaque région en possède une variante. On peut servir ce plat avec du poulet rôti.

Ingrédients

Pour 6 à 8 personnes

- 450 g de haricots blancs secs, ayant préalablement trempé toute la nuit
- 1 feuille de laurier
- 250 g de lard fumé maigre, sans la couenne
- 15 g de saindoux
- 1 oignon finement émincé
- 2 gousses d'ail écrasées
- 1 cuil. à soupe de farine
- 1 à 2 cuil. à soupe de vinaigre
- 1 généreuse pincée de sucre
- 12 cl de crème aigre
- sel
- feuilles de sauge et paprika, pour garnir

1 Égouttez les haricots blancs et rincez-les soigneusement.

2 Déposez les haricots dans un grand faitout avec la feuille de laurier, le lard et suffisamment d'eau pour couvrir le tout. Laissez cuire 1 h 15 à 1 h 30. Retirez le lard, laissez-le refroidir et coupez-le en dés. Égouttez les haricots, en réservant 12 cl du liquide de cuisson (ou une plus grande quantité, si nécessaire, voir étape 5).

3 Faites fondre le saindoux dans une poêle, puis mettez l'oignon, l'ail et la farine à cuire 2 à 3 min. Versez peu à peu le liquide de cuisson réservé. Remuez bien.

4 Remettez les haricots dans le faitout. Ajoutez le lard et les oignons, remuez.

5 Incorporez le vinaigre, le sucre et la crème aigre. Salez et poivrez à votre goût. Si les haricots sont trop collants, ajoutez un peu de liquide de cuisson. Garnissez de feuilles de sauge et de paprika.

Astuce

Il est conseillé de saler à la fin de la recette, pour éviter que les haricots ne durcissent.

Lecsó

À l'image de ses pays voisins, la Hongrie a toujours su faire bon usage de ses produits frais. La plupart des recettes comprenant des légumes sont assez copieuses pour être servies en plat principal. Le *lecsó,* qui est une épaisse purée de tomates et d'oignons, accompagne également des ragoûts ou d'autres plats.

INGRÉDIENTS

Pour 6 à 8 personnes

- 5 poivrons verts
- 2 cuil. à soupe d'huile végétale ou de saindoux fondu
- 1 oignon émincé
- 450 g de tomates olivettes pelées et concassées
- 1 cuil. à soupe de paprika
- sucre et sel, selon votre goût
- lardons grillés, pour garnir
- pain croustillant, pour servir

3 Ajoutez les lanières de poivron et faites cuire à feu doux 10 min.

1 Lavez les poivrons, éliminez les parties blanches et les graines et coupez la chair en lanières.

2 Faites chauffer l'huile ou le saindoux. Ajoutez l'oignon et laissez cuire à feu doux pendant 5 min.

4 Incorporez les tomates et le paprika, puis assaisonnez selon votre goût avec du sucre et du sel.

5 Laissez mijoter la ratatouille à feu doux 20 à 25 min. Servez immédiatement, garni de lardons grillés et accompagné de pain croustillant.

VARIANTE

Vous pouvez ajouter des rondelles de salami ou quelques œufs brouillés aux légumes.

Tortillons chauds au fromage

C'est l'une des nombreuses recettes de pâtisseries au fromage que l'on sert avec du vin hongrois.

INGRÉDIENTS

Pour environ 30 tortillons

- 400 g de pâte feuilletée, décongelée
- 1 gros œuf, battu
- 120 à 150 g de *liptauer (voir Astuce)*, finement émietté

ASTUCE

Le *liptauer* hongrois est une crème de fromage au lait de brebis, assaisonné avec du paprika, du sel et divers autres ingrédients, notamment des oignons, des graines de carvi, de la moutarde et des câpres. Le *liptauer* a une forte saveur épicée. À défaut, vous pouvez le remplacer par de la feta ou du *brynza*.

---

1 Préchauffez le four à 200 °C (th. 7). Abaissez la pâte sur une surface légèrement farinée, sur une longueur de 30 cm et une épaisseur de 5 cm. Coupez la pâte en deux.

2 Dorez la pâte avec l'œuf battu et parsemez avec le fromage en le faisant légèrement pénétrer dans la pâte. Coupez la pâte en lanières de 15 × 2,5 cm.

3 Tortillez les lanières de pâte de manière à façonner de longues torsades. Disposez-les sur une plaque à four antiadhésive et faites cuire au four 10 à 15 min, jusqu'à ce qu'elles soient bien dorées. Laissez refroidir sur une grille.

Boulettes de pommes de terre à la bavaroise

Les boulettes aux formes et tailles les plus diverses sont indissociables des cuisines d'Allemagne et d'Europe centrale. Dans cette recette, des croûtons sont placés au cœur des boulettes.

INGRÉDIENTS

Pour 6 personnes

- 1,5 kg de pommes de terre pelées
- 120 g de semoule
- 120 g de farine complète
- 1 cuil. à café de sel
- 2 pincées de noix de muscade
- 2 cuil. à soupe d'huile de tournesol
- 2 fines tranches de pain blanc, la croûte retirée, coupées en dés
- 1,5 l de bouillon de bœuf
- poivre noir fraîchement moulu
- persil plat frais ciselé, lardons et rondelles d'oignons frits, pour garnir
- beurre fondu, pour servir

1 Faites cuire les pommes de terre 20 min dans une grande casserole d'eau salée. Égouttez-les, puis réduisez-les en purée et passez-les au tamis dans une jatte. Ajoutez la semoule, la farine, le sel, du poivre et la noix de muscade. Mélangez bien.

2 Chauffez l'huile dans une poêle, puis faites frire les croûtons de pain jusqu'à ce qu'ils soient bien dorés. Égouttez-les sur du papier absorbant.

3 Façonnez la purée de pommes de terre en 24 boulettes. Pressez les croûtons fermement dans chaque boulette. Portez le bouillon à ébullition dans un grand faitout et pochez les boulettes à feu doux, pendant 5 min, en les retournant une fois.

4 Retirez les boulettes avec une écumoire et disposez-les sur un plat de service chaud. Parsemez de persil ciselé, de lardons et d'oignons frits, et servez avec une saucière de beurre fondu.

Chou rouge aux poires

Mieux vaut cuire ce plat un jour à l'avance. Il accompagne très bien rôti de porc et gibier.

INGRÉDIENTS

Pour 6 à 8 personnes

- 3 tranches de lard épaisses, sans la couenne, coupées en dés
- 1 gros oignon émincé
- 1 gros chou rouge émincé
- 3 gousses d'ail écrasées
- 1 cuil. et 1/2 à soupe de graines de carvi
- 12 cl d'eau
- 2 poires mûres et fermes, évidées et finement émincées
- le jus d'1 citron
- 50 cl de vin rouge
- 45 cl de vinaigre de vin rouge
- 150 g de miel blond crémeux
- sel et poivre noir fraîchement moulu
- graines de carvi et ciboulette fraîche ciselée, pour garnir

1 Faites dorer à sec les lardons dans une cocotte, à feu doux, 5 à 10 min.

2 Incorporez l'oignon et faites dorer pendant 5 min.

3 Ajoutez le chou, l'ail, les graines de carvi et l'eau. Couvrez et laissez cuire 8 à 10 min.

4 Assaisonnez bien, puis ajoutez les poires, le jus de citron, le vin rouge et le vinaigre. Couvrez et faites cuire 10 à 15 min. Incorporez le miel.

5 Si le liquide de cuisson est trop abondant, découvrez la cocotte et laissez réduire. Les poires doivent fondre dans la cocotte, à la cuisson, et réduire d'1/3. Rectifiez l'assaisonnement selon votre goût et servez parsemé de graines de carvi et de ciboulette ciselée.

Spätzle

Ce plat de pâtes très simple est originaire du sud-est de l'Allemagne, où il est plus populaire que les pommes de terre. Il accompagne de nombreux plats salés.

INGRÉDIENTS
Pour 4 personnes
- 350 g de farine
- 1/2 cuil. à café de sel
- 2 œufs battus
- 20 cl environ de lait et d'eau mélangés
- 1 cuil. à soupe d'huile de tournesol
- 25 g de beurre fondu
- lardons, cœurs de céleri pochés et poivre noir fraîchement moulu, pour servir

1 Tamisez la farine et le sel dans une jatte, puis faites un puits au centre. Ajoutez les œufs et suffisamment de lait et d'eau pour obtenir une pâte très molle.

2 Battez la pâte jusqu'à ce qu'elle forme des bulles, puis incorporez l'huile et battez à nouveau. Portez une grande casserole d'eau salée à ébullition.

3 Humidifiez une planche à découper et placez la pâte dessus. Faites tomber des bandelettes de pâte dans l'eau en vous aidant de la lame d'un couteau.

ASTUCE

Rincez de temps en temps le couteau dans l'eau (étape 3) pour éviter que la pâte ne colle à la lame. Plus vite vous exécuterez cette étape, plus les *spätzle* seront légers.

4 Laissez pocher pendant 3 min, puis retirez les morceaux de pâte avec une écumoire. Rincez rapidement à l'eau chaude, placez dans un plat de service chaud et couvrez. Répétez l'opération jusqu'à épuisement de la pâte.

5 Arrosez avec le beurre fondu et servez immédiatement, garni de lardons. Accompagnez de cœurs de céleri pochés et saupoudrés de poivre noir fraîchement moulu.

DESSERTS ET PAINS

La Hongrie, l'Allemagne et l'Autriche sont célèbres pour leur choix impressionnant de gâteaux et de desserts, leur art de la pâtisserie et leur culture du café, réputés dans le monde entier. Il est difficile de choisir entre tous ces délices – une tranche de forêt noire aux cerises, ou un strudel aux pommes qui fond dans la bouche. Cerises, prunes, abricots et fruits à coque sont les principaux ingrédients, tandis que les pommes sont largement privilégiées dans les desserts allemands, en particulier, lorsqu'ils sont cuits au four.

Forêt noire aux cerises

Il est intéressant de noter que ce gâteau célèbre est une invention récente. Il est originaire du sud de l'Allemagne où le kirsch est distillé.

Ingrédients

Pour 12 personnes

- 200 g de chocolat noir cassé en morceaux
- 120 g de beurre
- 3 œufs, blancs et jaunes séparés
- 100 g de cassonade
- 3 cuil. à soupe de kirsch
- 75 g de farine à gâteaux (avec levure incorporée), tamisée
- 50 g d'amandes en poudre

Pour la garniture et la décoration

- 65 g de chocolat noir
- 65 g de glaçage aromatisé au chocolat
- 3 cuil. à soupe de kirsch
- 425 g de cerises noires dénoyautées, égouttées et le jus réservé
- 60 cl de crème fraîche épaisse, légèrement fouettée
- 12 cerises fraîches non équeutées

2 Dans une jatte, fouettez les jaunes d'œufs et le sucre en un mélange très épais. Ajoutez le chocolat fondu, le kirsch, la farine et les amandes en poudre. Dans une autre jatte, fouettez les blancs d'œufs en neige ferme, puis incorporez-les délicatement à la crème au chocolat.

3 Versez le mélange dans le moule et faites cuire au four 40 min, jusqu'à ce que le gâteau soit ferme au toucher.

1 Préchauffez le four à 180 °C (th. 6). Graissez un moule à gâteau rond de 20 cm de diamètre et tapissez-en le fond avec du papier sulfurisé graissé. Faites fondre le chocolat et le beurre au bain-marie en remuant. Retirez du feu et laissez tiédir.

4 Laissez le gâteau tiédir dans le moule pendant 5 min, puis démoulez-le sur une grille. Lorsqu'il est froid, coupez-le à l'horizontale, en 3 couches, avec un couteau à dents.

5 Pour préparer les copeaux de chocolat, faites fondre le chocolat et le glaçage au bain-marie, comme précédemment. Laissez refroidir 5 min, puis versez sur une planche. Lorsque le chocolat a pris, prélevez des copeaux avec un épluche-légumes.

6 Mélangez le kirsch avec 9 cl du jus de cerise réservé. Placez une couche de gâteau au chocolat sur un plat de service, puis arrosez-la avec 3 cuillerées à soupe de sirop au kirsch.

7 Étalez 1/3 de la crème fouettée sur la couche de gâteau, puis décorez avec la moitié des cerises. Posez la seconde couche de gâteau par-dessus et répétez l'opération avec 1/3 du sirop au kirsch, de la crème fouettée et le reste des cerises. Placez enfin la dernière couche de gâteau et arrosez avec le kirsch restant.

8 Étalez le reste de crème fouettée sur le dessus du gâteau. Décorez avec les copeaux de chocolat et des cerises fraîches.

Strudel aux pommes

Cette recette est généralement
préparée avec de la pâte à strudel,
mais on peut la remplacer
par de la pâte filo.

INGRÉDIENTS

Pour 8 à 10 personnes

- 500 g de feuilles de pâte filo, décongelées si nécessaire
- 120 g de beurre fondu
- sucre glace, pour saupoudrer
- crème fraîche, pour servir

Pour la garniture

- 1 kg de pommes, évidées, pelées et coupées en lamelles
- 120 g de chapelure fraîche
- 50 g de beurre fondu
- 150 g de sucre
- 1 cuil. à café de cannelle
- 75 g de raisins secs
- le zeste finement râpé d'1 citron

1 Préchauffez le four à 180 °C (th. 6). Pour la garniture, placez les lamelles de pommes dans une jatte. Incorporez la chapelure, le beurre, le sucre, la cannelle, les raisins secs et le zeste de citron râpé.

2 Déposez 2 feuilles de pâte filo sur une surface farinée et badigeonnez-les de beurre fondu. Recouvrez d'1 ou 2 autres feuilles et poursuivez ainsi jusqu'à l'obtention de 4 à 5 couches de pâte.

3 Déposez les pommes sur la pâte, en réservant une bordure de 2,5 cm.

4 Repliez les deux petits côtés pour enfermer la garniture, puis roulez comme un biscuit. Posez le strudel sur une plaque à four légèrement beurrée.

5 Badigeonnez la pâte du beurre restant. Faites dorer au four 30 à 40 min. Laissez refroidir le strudel avant de le saupoudrer de sucre glace. Servez-le coupé en tranches épaisses.

Linzertorte

Cette tarte délicieuse ne doit pas
son nom, comme on a tendance
à le croire, à la ville de Linz,
mais au chef cuisinier de l'archiduc
Charles, Linzer.

INGRÉDIENTS
Pour 8 à 10 personnes
- 200 g de beurre ou de margarine
- 200 g de sucre en poudre
- 3 œufs battus
- 1 jaune d'œuf
- 1/2 cuil. à café de cannelle
- le zeste râpé d'1/2 citron
- 120 g de chapelure fine de biscuits
  sucrés
- 150 g d'amandes en poudre
- 230 g de farine tamisée
- 230 g de confiture de framboises
- 1 jaune d'œuf, pour dorer
- sucre glace, pour la décoration

1 Préchauffez le four à 190 °C (th. 6).
Dans une jatte, travaillez le beurre ou
la margarine et le sucre en une crème
légère. Incorporez peu à peu les œufs et
le jaune d'œuf, en battant sans cesse, avant
d'ajouter la cannelle et le zeste de citron.

2 Incorporez la chapelure de biscuits et
les amandes en poudre. Mélangez
bien avant d'ajouter la farine tamisée.
Pétrissez légèrement la pâte, puis enveloppez de film plastique et laissez-la au
réfrigérateur pendant 30 min.

3 Abaissez les 2/3 de la pâte sur une
surface légèrement farinée, puis tapissez-en un moule à tarte à fond amovible de 25 cm de diamètre. Lissez bien
la surface.

4 Étalez la confiture de framboises sur
le fond de tarte. Abaissez le reste de
pâte en un long rectangle. Découpez
ensuite des bandes et disposez-les en croisillons sur la confiture.

5 Badigeonnez la pâte de jaune d'œuf
battu. Faites dorer au four 35 à 50 min.
Laissez refroidir dans le moule avant de
démouler sur une grille. Servez-la chaude
ou froide avec une crème anglaise et saupoudrée de sucre glace.

ASTUCE
Filtrez 4 cuillerées à soupe de
confiture de framboises chaude et
badigeonnez-en la tarte froide.

Dobos Torta

Ce célèbre gâteau fut créé par le chef Jozep Dobos à la fin des années 1880. Il fut bientôt exporté dans le monde entier grâce à un emballage conçu spécialement. Les autres chefs ne parvinrent jamais à reproduire cette merveille, et en 1906, Dobos fit don de sa recette à la guilde des pâtissiers de Budapest.

INGRÉDIENTS

Pour 10 à 12 personnes

- 6 œufs, blancs et jaunes séparés
- 150 g de sucre glace tamisé
- 1 cuil. à café de sucre vanillé
- 130 g de farine tamisée

Pour la garniture

- 75 g de chocolat noir cassé en morceaux
- 175 g de beurre
- 130 g de sucre glace
- 2 cuil. à soupe de sucre vanillé
- 1 œuf

Pour le caramel

- 150 g de sucre
- 2 à 3 cuil. à soupe d'eau
- 10 g de beurre fondu

1 Préchauffez le four à 220 °C (th. 8). Dans une jatte, fouettez les jaunes d'œufs et la moitié du sucre glace en un mélange épais, crémeux et blanchâtre.

2 Dans une autre jatte, fouettez les blancs d'œufs en neige ferme. Ajoutez le reste de sucre glace, toujours en fouettant, puis incorporez le sucre vanillé.

3 Incorporez les blancs en neige à la crème aux œufs, en alternant avec des cuillerées de farine.

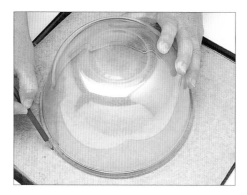

4 Tapissez 4 plaques à four de papier sulfurisé. Dessinez un disque de 23 cm de diamètre sur chaque morceau de papier. Graissez légèrement le papier et saupoudrez de farine.

5 Étalez la crème sur les disques de papier en égalisant bien. Faites cuire au four 10 min, puis laissez refroidir avant de les aplatir à l'aide d'une planche.

6 Pour préparer la garniture, faites fondre le chocolat au bain-marie. Remuez jusqu'à ce qu'il soit bien lisse.

7 Dans une jatte, travaillez le beurre et le sucre glace en crème, puis ajoutez le chocolat fondu et l'œuf, en battant.

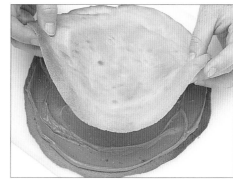

8 Empilez les 4 disques de gâteau en alternant avec une couche de crème au chocolat, puis étalez le reste de crème sur le dessus et les côtés du gâteau.

9 Pour préparer le caramel, mettez le sucre et l'eau dans une casserole à fond épais, et laissez dissoudre à feu très doux. Ajoutez le beurre.

10 Lorsque le sucre est dissous, augmentez le feu et laissez cuire jusqu'à ce que le mélange commence à brunir. Versez rapidement le caramel sur une plaque à four graissée. Laissez prendre et cassez en morceaux quand il est froid. Disposez les morceaux de caramel sur le dessus du gâteau, puis coupez celui-ci en tranches pour servir.

Gâteau de fromage frais au kissel

Le goût de ce gâteau de fromage
frais crémeux contraste avec
la saveur de fruits frais ou en
compote, a fortiori avec celle du
kissel ! Recette allemande, le *kissel*
fut bientôt associé à la Russie,
où il fut introduit par les
gouvernantes allemandes au siècle
dernier. Il connaît toujours
le même succès aujourd'hui.

INGRÉDIENTS

Pour 8 à 10 personnes

- 230 g de farine
- 120 g de beurre
- 15 g de sucre en poudre
- le zeste finement râpé d'1 citron
- 1 œuf battu
- brins de menthe, pour décorer

Pour la garniture

- 675 g de fromage frais
- 4 œufs, blancs et jaunes séparés
- 150 g de sucre en poudre
- 3 cuil. à soupe de farine de maïs
- 15 cl de crème aigre
- le zeste finement râpé et le jus
  de 1/2 citron
- 1 cuil. à café d'essence de vanille

Pour le *kissel*

- 450 g de fruits rouges préparés
  – fraises, framboises, groseilles, cerises
- 50 g de sucre en poudre
- 12 cl d'eau
- 1 cuil. à soupe d'arrow-root

1 Commencez par préparer la pâte
pour le gâteau. Tamisez la farine dans
une jatte. Incorporez ensuite le beurre du
bout des doigts jusqu'à l'obtention d'une
sorte de chapelure fine. Ajoutez le sucre
en poudre et le zeste de citron, puis versez l'œuf battu et mélangez le tout pour
obtenir une pâte. Enveloppez celle-ci de
film plastique et laissez au réfrigérateur
pendant au moins 15 min.

2 Abaissez la pâte sur une surface farinée,
puis tapissez-en un moule à tarte à
fond amovible de 25 cm de diamètre.
Laissez au réfrigérateur 1 h.

3 Déposez le fromage frais destiné à la
garniture dans un tamis posé sur une
jatte et laissez égoutter pendant 1 h.

4 Préchauffez le four à 200 °C (th. 7).
Piquez le fond de tarte avec une
fourchette, garnissez-le de papier aluminium froissé et mettez au four pendant
5 min. Retirez le papier et laissez cuire
encore 5 min. Retirez le moule et baissez
la température du four à 180 °C (th. 6).

5 Mélangez le fromage frais égoutté
dans une jatte avec les jaunes d'œufs
et le sucre en poudre. Dans un bol, mélangez la farine de maïs avec un peu de
crème aigre, puis incorporez au fromage
frais, avec le reste de crème aigre, le zeste
et le jus de citron et l'essence de vanille.
Mélangez vigoureusement.

6 Dans une jatte, fouettez les blancs
d'œufs en neige ferme, puis incorporez-les au fromage frais, 1/3 à la fois.
Versez la garniture sur le fond de tarte et
laissez cuire au four 1 h à 1 h 15, jusqu'à
ce qu'elle soit bien dorée. Éteignez le four
et entrouvrez la porte. Laissez le gâteau
refroidir, puis mettez-le à réfrigérer 2 h.

7 Pour le *kissel,* faites cuire les fruits, le
sucre en poudre et l'eau dans une casserole, à feu doux, jusqu'à dissolution du
sucre et formation d'un jus. Retirez les
fruits avec une écumoire et réservez.

8 Dans un bol, mélangez l'arrow-root
avec un peu d'eau froide, incorporez
au jus du *kissel* et portez à ébullition, en
remuant sans cesse. Remettez les fruits
dans la casserole et laissez refroidir, avant
de servir avec le gâteau de fromage frais
glacé et décoré de feuilles de menthe.

Crêpes aux pommes

Ces crêpes généralement très appréciées sont fourrées de pommes caramélisées et épicées à la cannelle.

Ingrédients

Pour 6 personnes

- 120 g de farine
- 1 pincée de sel
- 2 œufs battus
- 18 cl de lait
- 12 cl d'eau
- 25 g de beurre fondu
- huile de tournesol, pour frire
- sucre à la cannelle ou sucre glace et quartiers de citron, pour servir (facultatif)

Pour la garniture

- 75 g de beurre
- 1,5 kg de pommes de table évidées, pelées et coupées en tranches
- 50 g de sucre en poudre
- 1 cuil. à café de cannelle en poudre

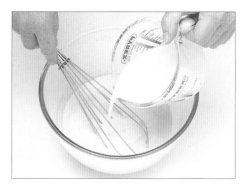

1 Dans une poêle à fond épais, faites fondre le beurre pour la garniture, puis ajoutez les tranches de pommes. Saupoudrez avec le sucre et la cannelle, puis laissez cuire, en remuant de temps en temps, jusqu'à ce que les pommes soient cuites et bien dorées. Réservez.

2 Dans une jatte, tamisez la farine et le sel, puis faites un puits au centre. Ajoutez les œufs et incorporez peu à peu la farine.

3 Versez lentement le lait et l'eau mélangés, en battant jusqu'à obtenir une pâte lisse. Incorporez le beurre fondu.

4 Chauffez 2 cuillerées à café d'huile dans une poêle à crêpes. Versez 2 cuillerées à soupe de pâte, en inclinant la poêle pour la répartir uniformément.

5 Laissez cuire la crêpe jusqu'à ce que le dessous prenne couleur. Retournez-la et faites dorer l'autre face. Glissez sur une assiette chaude, couvrez de papier aluminium et posez l'assiette sur une casserole d'eau frémissante pour que la crêpe reste chaude. Répétez l'opération jusqu'à épuisement de la pâte.

6 Répartissez la farce aux pommes entre les crêpes. Roulez les crêpes, saupoudrez-les de sucre à la cannelle ou de sucre glace. Servez avec des quartiers de citron pour les arroser.

> **Variante**
>
> Ces crêpes seront tout aussi délicieuses fourrées de poires, ou d'un mélange de pommes et de poires.

Gâteau épicé aux pommes

La pomme entre dans la composition de centaines de gâteaux et desserts allemands. On sert cet *apfelkuchen* moelleux et épicé dans toutes les *konditoreien* (pâtisseries) et salons de thé.

INGRÉDIENTS

Pour 12 personnes

- 120 g de farine
- 120 g de farine complète
- 2 cuil. à café de levure chimique
- 1 cuil. à café de cannelle
- 1/2 cuil. à café d'épices mélangées
- 230 g de pommes à cuire, évidées, pelées et coupées en dés
- 75 g de beurre
- 175 g de cassonade
- le zeste finement râpé d'1 petite orange
- 2 œufs battus
- 2 cuil. à soupe de lait
- crème fouettée, saupoudrée de cannelle, pour servir

Pour la garniture

- 4 pommes de table évidées et coupées en tranches fines
- le jus de 1/2 orange
- 2 cuil. à café de sucre
- 3 cuil. à soupe de confiture d'abricots, chaude et filtrée

1 Faites préchauffer le four à 180 °C (th. 6). Graissez un moule à gâteau rond à fond amovible de 23 cm de diamètre. Dans une jatte, tamisez les farines, la levure chimique et les épices.

2 Mélangez 2 cuillerées à soupe de cette préparation avec les dés de pommes.

3 Travaillez le beurre, la cassonade et le zeste d'orange en une crème légère et onctueuse. Incorporez peu à peu les œufs, en fouettant, puis le mélange de farines, les dés de pommes et le lait.

4 Transférez la préparation dans le moule et égalisez la surface.

5 Pour la garniture, mélangez les tranches de pommes au jus d'orange, puis disposez-les en cercle sur le gâteau, en les faisant se chevaucher et en les serrant.

6 Saupoudrez de sucre en poudre et faites cuire au four 1 h à 1 h 15, jusqu'à ce que le gâteau ait gonflé et soit ferme. Couvrez avec du papier aluminium si les pommes brunissent trop vite.

7 Laissez refroidir pendant 10 min dans le moule, puis déposez sur une grille. Glacez les pommes avec la confiture filtrée. Coupez le gâteau en 12 parts et servez accompagné de crème fouettée, saupoudrée de cannelle.

Crème bavaroise

Préparé dans un moule fantaisie, ce dessert léger est décoré avec de la crème et des feuilles de chocolat ou servi simplement avec des fruits frais.

INGRÉDIENTS

Pour 6 personnes

- 1 gousse de vanille
- 30 cl de crème fraîche liquide
- 1 cuil. à soupe de gélatine en poudre
- 3 cuil. à soupe de lait
- 5 jaunes d'œufs
- 50 g de sucre en poudre
- 30 cl de crème fraîche épaisse
- feuilles de chocolat et cacao en poudre, pour décorer

ASTUCE

Vous pouvez remplacer la gousse de vanille par 1 cuillerée à café d'essence de vanille. Sautez l'étape 1 et, à l'étape 3, fouettez l'essence de vanille, les jaunes d'œufs et le sucre.

---

1 Dans une casserole, portez lentement à ébullition la gousse de vanille et la crème fraîche liquide. Éteignez le feu, couvrez et laissez infuser 30 min. Retirez la gousse de vanille (bien rincée et séchée, elle pourra servir à nouveau).

2 Saupoudrez la gélatine sur le lait et laissez ramollir.

3 Fouettez légèrement les jaunes d'œufs et le sucre au bain-marie. Portez à nouveau la crème au seuil de l'ébullition, puis incorporez au mélange aux œufs.

4 Posez sur le bain-marie frémissant et laissez cuire la crème, en remuant, jusqu'à ce qu'elle ait suffisamment épaissi pour recouvrir le dos d'une cuillère en bois. Retirez du feu, ajoutez la gélatine et remuez jusqu'à dissolution.

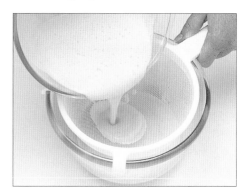

5 Tamisez la crème dans une jatte. Couvrez avec un morceau de papier sulfurisé humidifié pour prévenir la formation d'une peau et laissez refroidir.

6 Dans une jatte, fouettez la crème fraîche épaisse pour la rendre plus compacte, puis incorporez-la à la crème.

7 Rincez des moules individuels ou un grand moule de 1,2 l de contenance. Versez la crème bavaroise et laissez au réfrigérateur pendant au moins 4 h, jusqu'à ce qu'elle prenne.

8 Pour démouler la crème bavaroise, plongez le moule jusqu'au bord dans de l'eau très chaude 5 s. Recouvrez le moule avec une assiette, puis renversez-le rapidement et retirez-le. Décorez avec des feuilles de chocolat et saupoudrez de cacao en poudre.

Tranches de streusel aux prunes

En Saxe, en Allemagne orientale, les gâteaux et desserts aux fruits sont souvent garnis avec ce crumble ou *streusel*. Pour ce gâteau, on a utilisé des prunes.

INGRÉDIENTS

Pour 14 tranches

- 250 g de prunes dénoyautées et émincées
- 1 cuil. à soupe de jus de citron
- 50 g de sucre
- 120 g de beurre ramolli
- 50 g de sucre en poudre
- 1 jaune d'œuf
- 150 g de farine

Pour la garniture

- 150 g de farine
- 1/2 cuil. à café de levure chimique
- 75 g de beurre froid
- 50 g de cassonade
- 50 g de noisettes concassées

1 Préchauffez le four à 180 °C (th. 6). Graissez un moule à gâteau carré de 20 cm de diamètre et tapissez le fond de papier sulfurisé. Dans une petite casserole, déposez les prunes et le jus de citron et laissez cuire à feu doux pendant 5 min.

2 Ajoutez le sucre et laissez cuire à feu doux jusqu'à ce qu'il soit dissous. Laissez mijoter encore 3 à 4 min jusqu'à ce que le sirop soit très épais, en remuant de temps en temps. Laissez refroidir.

3 Dans une jatte, travaillez le beurre et le sucre en une crème légère. Incorporez le jaune d'œuf en battant, puis la farine, afin d'obtenir une pâte molle. Pressez la pâte au fond du moule et laissez cuire au four 15 min.

4 Pendant la cuisson du fond de tarte, préparez la garniture. Tamisez la farine et la levure dans une jatte. Incorporez le beurre du bout des doigts jusqu'à l'obtention d'une sorte de chapelure. Ajoutez le sucre et les noisettes concassées, mélangez bien.

5 Couvrez le fond de tarte avec les prunes cuites. Répartissez la garniture en pressant doucement. Enfournez à nouveau 30 min. Le dessus doit dorer légèrement. Laissez refroidir 15 min, puis coupez en tranches. Démoulez le *streusel* lorsqu'il est complètement froid.

VARIANTE

Les abricots offrent une délicieuse alternative aux prunes dans cette recette.

Gâteau de crêpes

En Hongrie, la confection des crêpes était jadis très simple : à base de farine de maïs et d'eau, elles étaient cuites sur le feu. L'absence relative de fours explique la grande variété de recettes de crêpes – salées ou sucrées – dans cette région du globe. Ce gâteau composé de plusieurs couches de crêpes n'est qu'une illustration, parmi d'autres, de cette tradition.

Ingrédients

Pour 6 personnes

- 5 œufs, blancs et jaunes séparés
- 50 g de sucre en poudre
- 18 cl de lait
- 50 g de farine à gâteaux (avec levure incorporée), tamisée
- 50 g de beurre fondu
- 18 cl de crème aigre
- sucre glace tamisé, pour saupoudrer
- quartiers de citron, pour servir

Pour la garniture

- 3 œufs, blancs et jaunes séparés
- 25 g de sucre glace tamisé
- le zeste râpé d'1 citron
- 1/2 cuil. à café de sucre vanillé
- 120 g d'amandes en poudre

1 Préchauffez le four à 200 °C (th. 7). Graissez et tapissez de papier sulfurisé un moule à gâteau rond, à fond amovible de 20 cm de diamètre environ. Dans une jatte, fouettez les jaunes d'œufs et le sucre en une crème épaisse, puis incorporez le lait, toujours en fouettant.

2 Dans une autre jatte, fouettez les blancs d'œufs en neige ferme, puis incorporez-les à la pâte, en alternant avec des cuillerées de farine et la moitié du beurre fondu.

3 Prévoyez une poêle sensiblement de la même taille que le moule. Graissez le fond avec un peu du beurre fondu restant. Inclinez la poêle pour bien couvrir le fond.

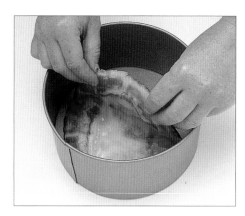

4 Versez 1/3 de la pâte dans la poêle. Faites frire la crêpe de chaque côté jusqu'à ce qu'elle soit bien dorée, puis faites-la glisser dans le moule. De la même façon, préparez 3 autres crêpes avec le reste de pâte, et réservez-les.

5 Préparez la garniture. Fouettez les jaunes d'œufs dans une jatte avec le sucre glace jusqu'à l'obtention d'une crème épaisse. Incorporez le zeste de citron râpé et le sucre vanillé.

6 Dans une autre jatte, fouettez les blancs d'œufs puis incorporez-les à la crème aux jaunes d'œufs, avant d'ajouter les amandes en poudre. Mélangez vigoureusement le tout.

7 Étalez 1/3 de la garniture sur la première crêpe.

8 Répétez l'opération sur la deuxième et la troisième crêpe, puis recouvrez le tout avec la dernière crêpe.

9 Couvrez le gâteau de crème aigre et faites-le cuire au four 20 à 25 min. Le dessus doit être légèrement doré.

10 Laissez dans le moule pendant 10 min avant de retirer le papier sulfurisé. Servez chaud, coupé en quartiers largement saupoudrés de sucre glace et accompagnés de quartiers de citron.

Fruits en sirop glacés

Cette recette permet d'utiliser des restes de fruits frais. Servez le mélange de fruits bien frais.

INGRÉDIENTS

Pour 6 personnes

- 120 à 175 g de sucre, en fonction de l'acidité des fruits
- 25 cl d'eau froide
- le jus et le zeste d'1/2 citron
- 1 bâton de cannelle cassé en deux
- 1 kg de fruits préparés – pommes, poires et coings évidés, pelés et coupés en tranches, ou prunes, pêches et abricots dénoyautés, groseilles à maquereau équeutées, myrtilles, fraises
- 2 cuil. à soupe d'arrow-root
- sucre en poudre et crème fraîche (facultatif), pour servir

1 Mettez le sucre et l'eau dans une cocotte et portez à ébullition. Ajoutez le jus et le zeste de citron, ainsi que les 2 morceaux de cannelle. Laissez cuire pendant 1 min.

2 Ajoutez les fruits et faites cuire 2 à 3 min, pas davantage. Retirez les fruits et la cannelle avec une écumoire.

3 Mélangez l'arrow-root avec un peu d'eau, incorporez le tout au sirop de fruits et portez à ébullition. Remettez les fruits dans la cocotte et laissez refroidir avant de transférer dans le réfrigérateur.

4 Servez les fruits saupoudrés de sucre et accompagnés de crème fouettée.

Boulettes sucrées au fromage

Les plus célèbres boulettes au fromage proviennent des pays tchèques, mais elles sont appréciées partout ailleurs, notamment en Autriche, comme le montre cette variante. Le mélange de boulettes salées et sucrées, comme ici, est appelé *mhelspeisen*.

INGRÉDIENTS

Pour 4 à 6 personnes

- 40 g de beurre
- 3 œufs, blancs et jaunes séparés
- 450 g de fromage frais
- 50 g de semoule
- 1 cuil. à soupe de crème fraîche épaisse
- 1 à 2 cuil. à soupe de farine
- sucre glace tamisé et brins de menthe, pour décorer

1 Travaillez le beurre, puis incorporez les jaunes d'œufs, 1 par 1. Ajoutez le fromage frais, la semoule et la crème. Mélangez, couvrez et laissez reposer 45 min.

2 Dans une jatte, fouettez les blancs d'œufs en neige ferme, puis incorporez-les délicatement à la préparation au fromage frais, en même temps que la farine.

3 Portez à ébullition une grande casserole d'eau salée. Prélevez des cuillerées du mélange et donnez-leur une forme ronde ou ovale avec les mains humides.

4 Déposez les boulettes dans l'eau bouillante et laissez pocher 6 à 7 min. Retirez-les de l'eau avec une écumoire et égouttez bien. Servez les boulettes chaudes, généreusement saupoudrées de sucre glace et décorées de brins de menthe.

Carrés aux noix

Cette recette tchèque, légère et savoureuse, est idéale pour accompagner le café, le matin, ou en dessert.

INGRÉDIENTS

Pour 24 carrés environ

- 230 g de beurre
- 230 g de sucre en poudre
- 3 jaunes d'œufs
- 175 g de farine tamisée
- 4 œufs battus
- 175 g de noix en poudre
- 20 g de chapelure
- cacao en poudre, pour saupoudrer

Pour la garniture

- 3 blancs d'œufs
- 150 g de sucre en poudre
- 120 g de noix en poudre
- 75 g de raisins secs hachés
- 25 g de cacao en poudre tamisé

1 Préchauffez le four à 150 °C (th. 4). Graissez et tapissez de papier sulfurisé un moule à biscuit de 28 × 18 × 4 cm.

2 Travaillez le beurre et le sucre en une crème légère et pâle, puis incorporez les jaunes d'œufs.

3 Ajoutez la moitié de la farine dans le mélange, puis les œufs entiers, toujours en battant, avant de finir par le reste de farine et les noix.

4 Parsemez le moule avec la chapelure avant de le tapisser avec la pâte aux noix. Égalisez le dessus avec un couteau à lame ronde. Faites cuire au four 30 à 35 min. Le gâteau doit dorer légèrement.

5 Préparez la garniture : dans une jatte, fouettez les blancs d'œufs en neige ferme. Ajoutez progressivement le sucre, toujours en fouettant, puis les noix, les raisins secs et le cacao en poudre.

6 Étalez la garniture sur le fond du gâteau et prolongez la cuisson pendant encore 15 min. Laissez refroidir dans le moule. Lorsque le gâteau est froid, retirez le papier sulfurisé. Coupez le gâteau en carrés ou en bâtonnets, et saupoudrez de cacao en poudre.

Lebkuchen

Ces biscuits sucrés et épicés, spécialité de Nuremberg, en Bavière, sont traditionnellement préparés pour Noël. En allemand, leur nom signifie «gâteau de vie».

INGRÉDIENTS

Pour 20 biscuits

- 120 g d'amandes mondées finement broyées
- 50 g de zeste d'orange confit finement haché
- le zeste finement haché d'1/2 citron
- 3 gousses de cardamome
- 1 cuil. à café de cannelle
- 2 pincées de noix de muscade
- 2 pincées de clou de girofle
- 2 œufs
- 120 g de sucre en poudre
- 150 g de farine
- 1/2 cuil. à café de levure chimique
- papier de riz (facultatif)

Pour le glaçage

- 1/2 blanc d'œuf
- 75 g de sucre glace tamisé
- 1 cuil. à café de rhum blanc

1 Préchauffez le four à 180 °C (th. 6). Réservez quelques amandes pour décorer et déposez le reste dans une jatte avec le zeste d'orange confit et le zeste de citron.

2 Retirez les grains noirs des gousses de cardamome et écrasez-les dans un mortier avec un pilon. Ajoutez-les dans la jatte avec la cannelle, la noix de muscade et les clous de girofle. Mélangez bien.

3 Au batteur électrique, fouettez les œufs et le sucre en un mélange épais et mousseux. Tamisez la farine et la levure, puis incorporez-les peu à peu aux œufs, avant d'ajouter la préparation précédente.

4 Déposez des cuillerées à dessert de la pâte sur des feuilles de papier de riz, ou sur du papier sulfurisé dans des plaques à four, en écartant suffisamment les biscuits pour qu'ils puissent s'étaler. Parsemez avec les amandes réservées.

5 Faites dorer au four 20 min. Laissez refroidir quelques minutes, puis déchirez le papier de riz superflu ou transférez les biscuits du papier sulfurisé sur une grille selon le cas.

6 Pour le glaçage, fouettez le blanc d'œuf dans une jatte avec une fourchette. Incorporez le sucre glace, peu à peu, puis ajoutez le rhum. Arrosez les *lebkuchen* du glaçage et laissez prendre. Gardez-les dans une boîte 2 semaines avant de les servir.

Stollen

Datant du XIIᵉ siècle, et symbolisant l'enfant Jésus, ce traditionnel gâteau de Noël allemand est à base de pâte au levain, de massepain et de fruits secs.

INGRÉDIENTS

Pour 12 personnes

- 375 g de farine à pain blanche
- 1 pincée de sel
- 50 g de sucre en poudre
- 2 cuil. à café de levure de boulanger
- 15 cl de lait
- 120 g de beurre
- 1 œuf battu
- 175 g de fruits secs mélangés
- 50 g de cerises confites, coupées en quartiers
- 50 g d'amandes mondées et broyées
- le zeste finement râpé d'1 citron
- 230 g de massepain
- sucre glace, pour saupoudrer

1 Tamisez la farine, le sel et le sucre. Incorporez la levure et faites un puits au centre. À feu doux, mélangez le lait et le beurre. Laissez refroidir, puis incorporez avec l'œuf aux ingrédients secs.

2 Travaillez la pâte sur une surface légèrement farinée pendant 10 min, afin qu'elle soit souple. Déposez-la dans une jatte, couvrez de film plastique et laissez lever dans un endroit chaud 1 h, jusqu'à ce que la pâte ait doublé de volume.

3 Sur une surface farinée, pétrissez ensemble la pâte et les fruits secs, les cerises, les amandes et le zeste de citron.

4 Abaissez la pâte en un rectangle de 25 × 20 cm.

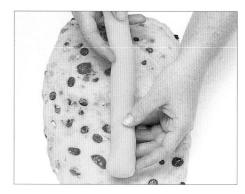

5 Roulez la pâte d'amandes en rouleau, légèrement plus court que la pâte. Placez-le au milieu de la pâte, puis ramenez sur lui les deux bords.

6 Posez le gâteau sur une plaque à four graissée. Couvrez de film plastique huilé et laissez lever dans un endroit chaud 40 min, afin que le gâteau double de volume. Préchauffez le four à 190 °C (th. 6).

7 Faites cuire le *stollen* 30 à 35 min, jusqu'à ce qu'il soit bien doré et qu'il sonne creux quand on tape sur le fond. Laissez refroidir sur une grille, puis couvrez d'une épaisse couche de sucre glace.

Pain noir

Le pain noir est consommé dans tout l'est de l'Europe. Cette variante allemande, sans levain, possède une texture dense, semblable à celle du *pumpernickel* (seigle noir). On le cuit à la vapeur et non au four. Des boîtes de conserve vides sont idéales pour donner au pain sa forme ronde traditionnelle.

INGRÉDIENTS

Pour 2 miches

- 50 g de farine de seigle
- 40 g de farine de blé
- 1 sachet de levure chimique
- 1/2 cuil. à café de sel
- 2 pincées de cannelle
- 2 pincées de noix de muscade
- 50 g de semoule fine
- 6 cl de mélasse noire
- 20 cl de babeurre
- confiture de cerises, crème aigre ou crème fraîche et 1 pincée de quatre-épices en poudre, pour servir

1 Graissez et tapissez de papier sulfurisé 2 moules ronds de 400 g de contenance. Tamisez les farines, la levure chimique, le sel et les épices dans une jatte. Incorporez la semoule.

ASTUCE

À défaut de babeurre, vous pouvez le remplacer par du lait ordinaire auquel vous ajouterez 1 cuillerée à café de jus de citron.

2 Ajoutez la mélasse noire et le babeurre. Mélangez vigoureusement.

3 Répartissez le mélange entre les 2 moules, puis couvrez d'une double couche de papier aluminium graissé.

4 Disposez les moules sur un trépied dans un grand faitout et versez de l'eau chaude jusqu'à mi-hauteur des moules. Couvrez et laissez cuire à la vapeur pendant 2 h, en vérifiant de temps en temps le niveau de l'eau.

5 Retirez délicatement les moules du faitout. Démoulez les 2 pains sur une grille et laissez refroidir. Enveloppez-les ensuite dans du papier aluminium : ils pourront se conserver 1 semaine.

6 Servez le pain coupé en tranches, nappé de confiture de cerises, et orné d'1 cuillerée de crème aigre ou de crème fraîche et d'1 pincée de quatre-épices.

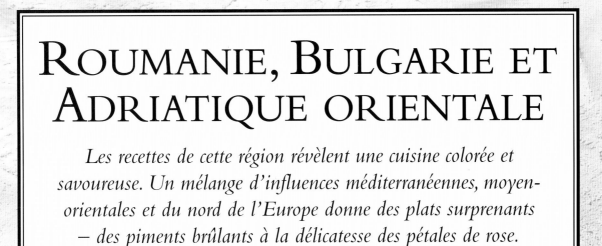

ROUMANIE, BULGARIE ET ADRIATIQUE ORIENTALE

Les recettes de cette région révèlent une cuisine colorée et savoureuse. Un mélange d'influences méditerranéennes, moyen-orientales et du nord de l'Europe donne des plats surprenants – des piments brûlants à la délicatesse des pétales de rose.

INTRODUCTION

Le sud de l'Europe centrale s'étend entre la mer Adriatique et la mer Noire. On fait généralement référence à ce groupe de pays sous le nom de Balkans. Dans cette région fascinante, les robustes cuisines allemandes et austro-hongroises se sont mêlées à des traditions culinaires plus exotiques empruntées à la Turquie et au Proche-Orient avec quelques influences russes. De ces alliances résulte une cuisine variée qui tire avantage des divers légumes et herbes cultivés dans la région et qui tend à être plus épicée que celles du nord.

LA QUALITÉ DES INGRÉDIENTS

Dans toute cette région, l'accent est mis sur la saveur et la qualité des ingrédients. Les plats quotidiens incluent des feuilles de chou, des poivrons ou des aubergines farcies, ou des salades de légumes crus servies avec du poulet grillé ou rôti. Un pain excellent, des produits laitiers, des fruits, du porc et du poisson figurent également dans les habitudes alimentaires des habitants de cette région.

La production vinicole, quant à elle, ne cesse d'augmenter, s'inspirant à la fois de méthodes anciennes et nouvelles.

LES INFLUENCES ORIENTALES

L'influence turque est surtout sensible en Roumanie et Bulgarie, où les entrées traditionnelles ou *meze* proposent des tomates, des poivrons, des olives, des aubergines au four, des salades de haricots, du fromage et du jambon, ainsi que du saucisson européen. Le *pasterma* bulgare est du bœuf séché souvent mélangé à du paprika, tandis que le *prsut* dalmate, un jambon fumé foncé qui rappelle le *prosciutto* italien, compte parmi les délices de la table des *meze*. Yaourts, concombres molossol, légumes et tarama sont également très appréciés.

Les amateurs de cuisine turque reconnaîtront aussi la *placinta,* une spécialité roumaine, et ses équivalents bulgare et serbe. Ces pâtés farcis de viande ou de fromage, ou bien de fromage et d'épinards, sont généralement servis chauds après le *meze*.

LES LÉGUMES ET FRUITS FRAIS

Les légumes poussent en abondance dans les jardins et sur les lopins de terre privés. Ils sont ensuite vendus frais sur les marchés. Des racines plus septentrionales aux productions estivales d'aubergines, poivrons, tomates, courgettes et okras, ils figurent tous en bonne place dans la plupart des plats. Parmi les fruits cultivés dans la région, on trouve des abricots, des pêches et des melons.

Lorsque les cuisiniers bulgares font cuire leurs légumes en cocotte, avec ou sans viande, le résultat est toujours mémorable. Ces plats cuits au four, appelés g*yuvech* en bulgare, *ghiveci* en roumain et *djuvec* en serbe, tiennent leur nom des récipients en terre dans lesquels ils sont cuits lentement. Les Bulgares sont également très amateurs de plats de riz, qui comptent souvent des courgettes et des épinards. La salade *shopska,* une entrée caractéristique pour un déjeuner ou un dîner en Bulgarie, est composée de morceaux de tomates, de concombre et d'oignon assaisonnés avec du yaourt.

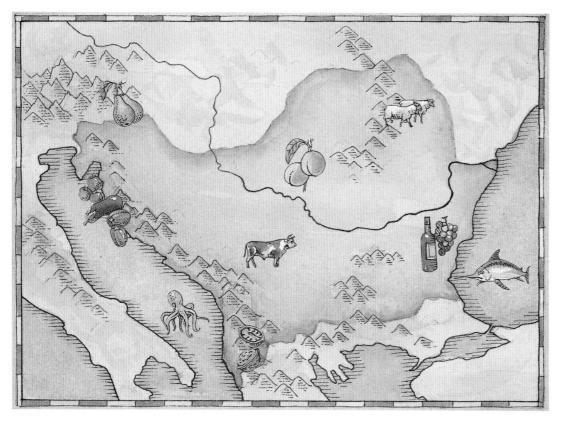

CI-CONTRE — *Les Balkans et les pays qui bordent la mer Adriatique, composés de l'ancienne Yougoslavie offrent de nombreuses surprises culinaires. Ce dont on peut difficilement s'étonner lorsque l'on sait que la région fut influencée au sud-est par la Turquie et la Grèce, à l'ouest par l'Italie et à l'est par l'Europe centrale.*

LES PRODUITS DE LA MER ET DE LA RIVIÈRE

Les grandes voies navigables, y compris le Danube, traversent les Balkans ou en arrosent les frontières, ce qui explique l'importance du poisson dans la gastronomie de cette région. Les plats de petits poissons frits, mangés avec des morceaux de pain blanc et accompagnés de vin ou de bière sont de véritables délices.

Les plus anciennes recettes roumaines accommodaient en ragoûts et grillades les très nombreux poissons du Danube, tels le mulet gris et la carpe, ou le poisson-chat de la mer Noire. Nombre de ces recettes ont été adaptées dans cet ouvrage par un choix de poissons plus faciles à trouver, comme le thon et le merlan.

Le poisson est toujours abondant en bordure maritime de la Croatie et de la Serbie. Il est difficile de choisir entre une assiette de poissons frits de l'Adriatique et une soupe de poisson au vin, à l'ail, au romarin et à l'huile d'olive.

LES PLATS DE VIANDE

Les cuisiniers balkans savent merveilleusement cuire la viande, qu'elle soit grillée et servie avec des pickles, comme en Roumanie, ou cuite en brochettes ou en cocotte avec des légumes comme en Bulgarie.

Les Roumains et les Croates sont les grands spécialistes des délicieuses boulettes de viande, cuites au barbecue, composées de porc haché, ou de porc et de bœuf mélangés, accompagnées de poivrons conservés dans l'huile d'olive.

Le porc et les pommes de terre frites sont des plats faciles à préparer, même s'il existe des variantes plus élaborées comme une cuisson de viande dans la bière. Le saindoux est abondamment utilisé en Roumanie pour cuire les aliments.

L'agneau est très apprécié en Bulgarie, où il est habituellement grillé ou mijoté en cocotte.

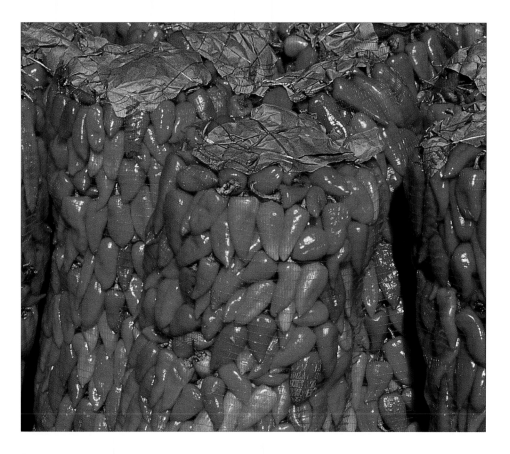

LES SOUPES

Lorsque l'on demande à des étrangers quel est le plat de cette région qu'ils préfèrent, ils répondent souvent la soupe de haricots. Si tous les pays d'Europe centrale possèdent leur propre recette de soupe aux haricots, c'est l'ajout de saveurs aigres et douces qui rendent les variantes roumaines et bulgares incomparables. L'acidité de la soupe est souvent due à un filet de citron, mais parfois aussi à la présence de vinaigre, de fruits amers ou de pickles.

Le *tarator,* une soupe froide à base de concombre, yaourt et noix, est un bon exemple de la cuisine estivale, rafraîchissante et savoureuse, que l'on peut déguster dans cette région.

LES DESSERTS

En Roumanie, on vous servira un strudel aux cerises, ou une crêpe farcie de confitures ou de fruits en souvenir de la pâtisserie autrichienne. En Bulgarie, le dessert classique est un gâteau de riz crémeux, parfumé à

CI-DESSUS *— Sacs de piments rouges frais en vente sur un marché serbe. Les piments sont utilisés frais et en pickles.*

l'eau de rose. En Slovénie, il peut s'agit d'un pudding de style presque anglo-saxon, comme la *potica,* à base de farine de sarrasin et de châtaignes.

Les châtaignes, les noix et autres fruits à coque dure comme les pistaches sont largement employés dans la pâtisserie. Ils font leur apparition dans des tartes d'inspiration française ou dans des gâteaux rappelant davantage ceux de l'est de l'Europe, au sirop, du type *baklava.*

Tout repas dans les Balkans s'achève par un café à la turque, servi avec ce que les Roumains appellent une *dulceata* et les Serbes un *slatko.* Ces douceurs sont des confiseries turques à base de pommes, prunes, raisins secs ou figues, roulées en boules, puis recouvertes de noix. Elles peuvent aussi être trempées dans le rhum ou un autre alcool.

Ingrédients

ou caoutchouteux et fade. On le trouve généralement dans les épiceries grecques. Il est excellent dans les gratins et les fritures. À défaut, on peut le remplacer par du *pecorino* italien.

Le *brynza* est l'équivalent du fromage en saumure utilisé dans tout l'est de l'Europe, mais on pourra lui substituer de la feta.

Le yaourt bulgare serait, selon la légende, une source de santé et de longévité, mais on peut le remplacer par n'importe quel yaourt biologique. Il constitue l'ingrédient essentiel de la soupe au concombre.

Une spécialité serbe est le *kaimak*, une crème épaisse confectionnée à partir de lait bouilli.

LÉGUMES

Les légumes méridionaux comme les poivrons, les aubergines, les courgettes et les tomates occupent tous une place de choix dans la cuisine des Balkans, à côté des oignons et du chou, plus septentrionaux. Les ragoûts piquants de poivrons et d'aubergines à l'ail, au vinaigre et à l'huile sont utilisés comme condiments, ou bien servis en salade avec du pain. Les plats roumains de viande grillée sont souvent accompagnés de légumes en pickles, du type concombres ou piments.

POISSONS

Les poissons de rivière qui prédominent sont la carpe, le mulet gris, la truite, l'esturgeon, le brochet, la perche, la brème et les écrevisses.

La tradition veut que le meilleur poisson-chat vienne du delta du Danube, tandis que sur la côte adriatique on pêche calmars et poulpes, ainsi que maquereaux, sardines, thon et des poissons blancs comme le loup et la brème de mer.

Les espèces pêchées dans la mer Noire comprennent le mulet et le chinchard, un petit poisson huileux frit dans de la pâte et dégusté entier.

PRODUITS LAITIERS

Le *kashkaval,* à base de lait de brebis, est le nom générique pour tous les fromages jaunes produits dans les Balkans. Selon le procédé de fabrication, ce fromage peut être piquant,

CÉRÉALES ET LÉGUMES SECS

La *mamaliga,* de la farine de maïs cuite servie comme accompagnement pour les plats de viande, ou cuisinée avec du fromage ou du lard, est une spécialité roumaine, même si elle est plus rare aujourd'hui. Cette bouillie jaune serait venue du Nouveau Monde en Europe au XVIe siècle ; elle est également très appréciée des Italiens, qui lui donnent le nom de polenta.

La farine de maïs était pilée à la main, puis cuite dans l'eau sur le feu jusqu'à ce qu'elle soit suffisamment épaisse pour qu'on puisse la trancher comme du pain une fois froide. La *mamaliga* était alors préparée dans un grand chaudron en métal, avec un long manche en bois pour remuer. Ce sont aujourd'hui des objets décoratifs en vogue.

Les haricots rouges, noirs et blancs sont largement utilisés dans les soupes.

FRUITS ET FRUITS À COQUE

Cerises, pêches, abricots, figues et melons sont particulièrement abondants en pleine saison. Les châtaignes et les pommes sont les ingrédients principaux dans la pâtisserie de certaines régions comme la Slovénie, et les pâtisseries des Balkans sont généralement garnies de noix et de noisettes qui y poussent en quantité. Les noix servent aussi à épaissir certaines soupes froides.

HERBES, ÉPICES ET CONDIMENTS

Les herbes fraîches – persil, thym, estragon, basilic, sarriette, menthe et aneth – sont largement employées à travers les Balkans, dans les salades, les soupes et les ragoûts. Les piments donnent aussi une saveur bien particulière à la cuisine de cette région.

Une herbe plus rare, la livèche, d'un goût comparable à celui des feuilles de céleri, est incorporée dans la cuisine roumaine, en particulier dans la soupe d'agneau. On la trouve chez les herboristes et on peut en faire pousser chez soi. Les soupes avec un jus de citron ou un filet de vinaigre, plus acides, sont également très appréciées.

Eau et pétales de rose parfument et décorent les desserts bulgares, notamment les puddings. La vallée des Roses, qui traverse la Bulgarie d'ouest en est, fut plantée par les Turcs au XVIIe siècle. Depuis lors, on y trouve la très précieuse huile de rose, ainsi qu'une petite industrie de savon et de liqueur à la rose.

BOISSONS

Le café turc, épais et fort, est très prisé dans les Balkans et l'est de l'Adriatique. Il est souvent servi en accompagnement de sucreries, comme les loukoums (une confiserie turque).

Le *maraschino* (ou marascin), à base de cerises, la *travarica,* parfumée aux herbes, et la *slivovica (slivowice),* un cognac à la prune, sont des liqueurs appréciées dans les pays de l'ancienne Yougoslavie.

L'alcool national roumain est la *tuica,* une eau de vie à la prune. La Bulgarie produit une liqueur de rose et un alcool d'anis, appelé *mastica,* qui rappelle le *raki* grec.

SOUPES ET ENTRÉES

*Les habitants d'Europe centrale sont renommés pour leur
hospitalité. Une soupe chauffe souvent sur un coin du fourneau,
prête à être dégustée, ou offerte à un hôte imprévu à toute heure
du jour. Les soupes aigres, ou* chorbas, *sont une spécialité
de la région, de même que le mélange de fruits et de légumes.
Les* meze, *ou entrées, reflètent les saveurs et produits de la région :
fromages, poissons frais et fruits de mer, tomates, poivrons, herbes
et épices. Servis chauds ou froids, ils sont délicieux en début de repas.*

Soupe froide au concombre, au yaourt et aux noix

Cette soupe froide rafraîchissante est composée du classique mélange concombre et yaourt, caractéristique de cette région.

INGRÉDIENTS

Pour 5 à 6 personnes

- 1 concombre
- 4 gousses d'ail
- 1/2 cuil. à café de sel
- 75 g de noix en morceaux
- 40 g de pain découpé en morceaux
- 2 cuil. à soupe d'huile de noix ou de tournesol
- 40 cl de yaourt au lait de vache ou de chèvre
- 12 cl d'eau froide ou d'eau minérale glacée
- 1 à 2 cuil. à café de jus de citron

Pour la garniture

- 40 g de noix grossièrement hachées
- 1 cuil. et 1/2 à soupe d'huile d'olive
- brins d'aneth frais

1 Coupez le concombre en deux. Pelez-en une moitié et coupez-la en deux. Réservez.

2 À l'aide d'un mortier et d'un pilon, écrasez ensemble l'ail et le sel. Ajoutez les noix et le pain.

ASTUCE

Si vous préférez les soupes onctueuses, réduisez-la en purée au mixer avant de servir.

3 Lorsque la pâte est bien lisse, incorporez l'huile, peu à peu, en mélangeant bien.

4 Transférez le mélange dans une jatte, puis incorporez le yaourt et les dés de concombre en battant.

5 Ajoutez l'eau froide et le jus de citron selon votre goût.

6 Pour servir, versez la soupe dans des assiettes creuses glacées. Garnissez avec des noix grossièrement hachées, un peu d'huile d'olive et des brins d'aneth.

Soupe d'agneau aigre à la bulgare

Cette soupe – une variante de
la traditionnelle soupe aigre,
ou *chorba* – est très populaire en
Bulgarie. On peut remplacer
l'agneau par du porc ou du poulet.

INGRÉDIENTS

Pour 4 à 5 personnes

- 2 cuil. à soupe d'huile
- 450 g d'agneau maigre, dégraissé
  et coupé en dés
- 1 oignon émincé
- 2 cuil. à soupe de farine
- 1 cuil. à soupe de paprika
- 1 l de bouillon d'agneau chaud
- 3 brins de persil
- 4 ciboules
- 4 brins d'aneth
- 25 g de riz à longs grains
- 2 œufs battus
- 2 à 3 cuil. à soupe de vinaigre
  ou de jus de citron, voire davantage
- sel et poivre noir fraîchement moulu
- pain croustillant, pour servir

Pour la garniture

- 25 g de beurre fondu
- 1 cuil. à café de paprika
- persil ou livèche et aneth

1 Dans un grand faitout, faites chauffer l'huile, puis faites revenir la viande. Ajoutez l'oignon et faites-le fondre.

2 Saupoudrez avec la farine et le paprika. Remuez bien, ajoutez le bouillon et faites cuire pendant 10 min.

3 Attachez ensemble le persil, les ciboules et l'aneth avec une ficelle, puis déposez le bouquet dans le faitout avec le riz. Salez et poivrez légèrement. Portez à ébullition et laissez mijoter 30 à 40 min, jusqu'à ce que l'agneau soit cuit.

ASTUCE

Ne faites pas réchauffer cette soupe,
les œufs risquant de coaguler.

4 Retirez le faitout du feu, puis ajoutez les œufs battus, en remuant sans cesse. Ajoutez le vinaigre ou le jus de citron. Retirez le bouquet et assaisonnez à votre goût.

5 Pour préparer la garniture, faites fondre le beurre et le paprika dans une petite casserole. Transférez la soupe dans des assiettes creuses préchauffées. Garnissez avec des herbes et un peu de beurre au paprika. Servez accompagné de gros morceaux de pain.

Soupe aux pommes

La Roumanie possède de vastes vergers. Dans cette soupe, vous retrouvez les saveurs de ces ressources naturelles.

INGRÉDIENTS

Pour 6 personnes

- 1 chou-rave
- 3 carottes
- 2 branches de céleri
- 1 poivron vert épépiné
- 2 tomates
- 3 cuil. à soupe d'huile
- 2 l de bouillon de poule
- 6 grosses pommes vertes
- 3 cuil. à soupe de farine
- 15 cl de crème fraîche épaisse
- 1 cuil. à soupe de sucre cristallisé
- 2 à 3 cuil. à soupe de jus de citron
- sel et poivre noir fraîchement moulu
- quartiers de citron et pain croustillant, pour servir

1 Coupez le chou-rave, les carottes, le céleri, le poivron vert et les tomates dans une grande casserole, ajoutez l'huile et faites revenir 5 à 6 min jusqu'à ce que les légumes soient juste cuits.

2 Mouillez avec le bouillon de poule, portez à ébullition, puis réduisez le feu et laissez mijoter pendant 45 min.

3 Pelez, évidez et coupez les pommes en dés, ajoutez-les à la casserole et prolongez la cuisson encore 15 min.

4 Dans une jatte, mélangez la farine et la crème fraîche, puis versez le tout dans la soupe, en remuant bien, et portez à ébullition. Ajoutez le sucre et le jus de citron avant d'assaisonner à votre goût. Servez immédiatement accompagné de quartiers de citron et de pain croustillant.

Soupe de pois chiches

Les pois chiches sont l'un des produits de base de l'alimentation dans les Balkans. Ils sont utilisés entiers ou en purée. Cette soupe est économique et en lui incorporant des saucisses épicées on en rehaussera davantage la saveur.

INGRÉDIENTS

Pour 4 à 6 personnes

- 500 g de pois chiches
- 2 l de bouillon de poule ou de légumes
- 3 pommes de terre non farineuses, pelées et coupées en morceaux
- 5 cl d'huile d'olive
- 250 g d'épinards, lavés et soigneusement égouttés
- sel et poivre noir fraîchement moulu

1 Mettez les pois chiches dans une jatte d'eau froide à tremper toute la nuit. Le lendemain, égouttez-les et placez-les dans un grand faitout avec le bouillon.

3 Incorporez les épinards 5 min avant la fin de la cuisson, Servez la soupe dans des grands bols préchauffés.

2 Portez à ébullition, puis laissez cuire à feu doux pendant 55 min environ. Ajoutez les pommes de terre, l'huile d'olive et l'assaisonnement. Laissez cuire pendant 20 min.

Soupe aux boulettes d'agneau et aux légumes

Cette recette familiale est idéale pour utiliser les restes de légumes.

INGRÉDIENTS

Pour 4 personnes

- 1 l de bouillon d'agneau
- 1 oignon finement émincé
- 2 carottes coupées en fines rondelles
- 1/2 céleri-rave coupé en dés
- 75 g de petits pois congelés
- 50 g de haricots verts coupés en tronçons de 2,5 cm
- 3 tomates épépinées et coupées en dés
- 1 poivron rouge épépiné et coupé en dés
- 1 pomme de terre coupée en gros dés
- 2 citrons coupés en rondelles
- sel et poivre noir fraîchement moulu
- pain croustillant, pour servir

Pour les boulettes de viande

- 250 g d'agneau maigre haché
- 40 g de riz à longs grains
- 2 cuil. à soupe de persil frais ciselé
- farine
- sel et poivre noir fraîchement moulu

1 Mettez le bouillon, tous les légumes, les rondelles de citron, du sel et du poivre dans un grand faitout. Portez à ébullition, puis réduisez le feu et laissez mijoter 15 à 20 min.

2 Pour préparer les boulettes, mélangez la viande hachée, le riz et le persil dans une jatte, puis assaisonnez bien.

3 Façonnez le hachis en boulettes de la taille d'une noix et passez-les dans la farine.

4 Plongez les boulettes dans la soupe et laissez pocher, à feu doux, 25 à 30 min, en remuant de temps en temps, pour les empêcher de coller. Rectifiez l'assaisonnement à votre goût et servez la soupe dans des grands bols préchauffés, accompagnée de pain croustillant.

Poivrons frits au fromage

Ce plat bulgare traditionnel varie sensiblement d'une région à l'autre, mais il est généralement servi en entrée ou en-cas. Les poivrons peuvent être rouges, jaunes ou verts.

INGRÉDIENTS

Pour 2 à 4 personnes

- 4 poivrons
- 50 g de farine assaisonnée
- 1 œuf battu
- huile d'olive pour frire
- salade de tomates et de concombre, pour servir

Pour la farce

- 1 œuf battu
- 90 g de feta finement émiettée
- 2 cuil. à soupe de persil frais ciselé
- 1 petit piment épépiné et finement émincé

1 Fendez les poivrons dans le sens de la longueur, afin que vous puissiez en retirer les parties blanches et les graines, tout en conservant les poivrons d'un seul morceau.

2 Ouvrez délicatement les poivrons en deux et placez-les sous un gril préchauffé, la peau tournée vers le haut. Laissez la peau noircir. Placez les poivrons sur une assiette, couvrez avec du film plastique et laissez refroidir pendant 10 min.

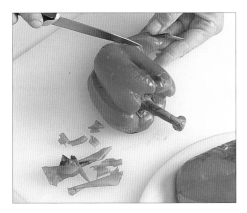

3 À l'aide d'un couteau, pelez soigneusement les poivrons.

4 Dans une jatte, mélangez tous les ingrédients de la farce. Répartissez cette farce entre les 4 poivrons.

5 Reconstituez les poivrons. Plongez-les dans la farine assaisonnée, l'œuf battu, puis de nouveau la farine.

6 Faites revenir les poivrons à feu doux dans un peu d'huile d'olive, 6 à 8 min, en les retournant une fois. Égouttez les poivrons farcis sur du papier absorbant avant de servir accompagné d'une salade de tomates et de concombre.

Crêpes bessarabiennes

La Bessarabie est la région partagée entre la Moldavie et l'Ukraine, où sont préparées ces crêpes farcies aux épinards et au fromage.

INGRÉDIENTS

Pour 4 à 6 personnes

- 4 œufs battus
- 40 g de beurre fondu
- 25 cl de crème fraîche liquide
- 25 cl d'eau de Seltz
- 175 g de farine tamisée
- 1 pincée de sel
- 1 blanc d'œuf légèrement battu
- huile pour friture

Pour la farce

- 350 g de feta émiettée
- 50 g de parmesan râpé
- 40 g de beurre
- 1 gousse d'ail écrasée
- 450 g d'épinards surgelés, décongelés
- lamelles de parmesan, pour garnir

1 Mélangez les œufs, le beurre, la crème et l'eau au mixer. Avec le moteur toujours en marche, incorporez la farine et le sel jusqu'à l'obtention d'une pâte lisse et dépourvue de grumeaux. Laissez reposer 15 min, en couvrant de film plastique.

2 Graissez légèrement une poêle antiadhésive de 13 à 15 cm de diamètre, puis chauffez-la à feu moyen. Lorsqu'elle est chaude, versez 3 à 4 cuillerées à soupe de pâte, en inclinant la poêle pour répartir également la pâte.

3 Laissez cuire 2 min environ, jusqu'à ce que le dessous de la crêpe soit légèrement doré, puis retournez-la et faites cuire l'autre côté.

4 Répétez l'opération jusqu'à épuisement de la pâte, en empilant les crêpes sur une assiette chaude.

5 Pour préparer la farce, mélangez la feta, le parmesan, le beurre et la gousse d'ail dans une jatte. Incorporez les épinards soigneusement égouttés.

6 Placez 2 à 3 cuillerées à soupe de farce au milieu de chaque crêpe. Badigeonnez avec du blanc d'œuf le bord des crêpes, puis repliez-les. Pressez les bords pour bien les souder.

7 Faites revenir les crêpes fourrées dans un peu d'huile, sur les deux faces, en les retournant doucement, jusqu'à ce qu'elles soient bien dorées et la farce suffisamment chaude. Servez-les immédiatement, garnies de lamelles de parmesan.

Tortillons au fromage

Ces délicieux biscuits bulgares au fromage sont généralement servis chauds en entrée ou en en-cas, à toute heure du jour, dans les cafés, les restaurants et à la maison.

INGRÉDIENTS

Pour 14 à 16 tortillons

- 450 g de feta, soigneusement égouttée et finement émiettée
- 10 cl de yaourt grec nature
- 2 œufs battus
- 14 à 16 feuilles de pâte filo, décongelées si nécessaire
- 230 g de beurre fondu
- sel de mer et ciboule émincée, pour garnir

1 Préchauffez le four à 200 °C (th. 7). Dans une jatte, mélangez ensemble la feta, le yaourt et les œufs, en battant bien jusqu'à obtenir une préparation onctueuse.

2 Remplissez une poche à douille de 1 cm de large avec la moitié de la préparation au fromage.

ASTUCE

Utilisez de préférence le fromage de brebis local, le *brynza*. Fabriqué dans tout l'est de l'Europe, c'est un fromage moelleux, friable et d'une saveur subtile, qui rappelle la feta, en moins salé. Il est disponible dans les épiceries grecques.

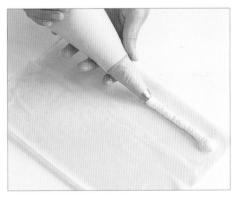

3 Étalez 1 feuille de pâte filo, pliez-la en un rectangle de 30 × 20 cm et badigeonnez-la avec un peu de beurre fondu. Sur l'un des deux bords les plus longs, disposez le fromage avec la poche à douille à 5 mm du bord.

4 Roulez la pâte pour former une sorte de saucisse, et fermez-la aux deux extrémités, pour empêcher la farce de sortir. Badigeonnez de beurre fondu.

5 Façonnez la saucisse en forme de S ou de croissant. Répétez l'opération avec le reste des ingrédients, en remplissant la poche à douille si nécessaire.

6 Disposez les tortillons sur une plaque à four beurrée, puis parsemez de sel marin et de ciboule. Faites cuire au four pendant 20 min, jusqu'à ce qu'ils soient bien dorés et croustillants. Laissez refroidir sur une grille avant de servir.

Purée d'aubergines et de poivrons

Cette purée de légumes cuits peut se déguster sur du pain, ou en accompagnement d'une viande grillée.

INGRÉDIENTS

Pour 6 à 8 personnes

- 700 g d'aubergines, coupées en deux dans le sens de la longueur
- 2 poivrons verts épépinés et coupés en quartiers
- 3 cuil. à soupe d'huile d'olive
- 2 tomates fermes et mûres, épépinées et finement émincées
- 3 cuil. à soupe de persil ou de coriandre, finement ciselé(e)
- 2 gousses d'ail écrasées
- 2 cuil. à soupe de vinaigre de vin rouge
- jus de citron, selon votre goût
- sel et poivre noir fraîchement moulu
- brins de persil ou de coriandre, pour garnir
- pain de seigle noir et quartiers de citron, pour servir

1 Placez les aubergines et les poivrons sous un gril préchauffé, la peau vers le haut, et laissez cuire jusqu'à ce que la peau se fende et noircisse. Retournez les légumes et prolongez la cuisson encore 3 min. Placez les légumes dans un sac en plastique et laissez refroidir 10 min.

2 Pelez les aubergines et les poivrons, puis réduisez la chair en purée à l'aide d'un mixer.

3 Le moteur du mixer toujours en marche, versez l'huile d'olive en un filet continu.

4 Retirez la lame avec précaution, puis incorporez les tomates concassées, le persil ou la coriandre, l'ail, le vinaigre et le jus de citron. Assaisonnez selon votre goût, garnissez avec du persil ou de la coriandre et servez accompagné de pain de seigle noir et de quartiers de citron.

Tarama

Ce célèbre hors-d'œuvre est préparé avec des œufs de poisson, généralement de mulet gris ou de cabillaud, que l'on a salé pour les conserver.

INGRÉDIENTS

Pour 4 à 6 personnes

- 120 g d'œufs de cabillaud
- 1 cuil. à soupe de jus de citron
- 18 cl d'huile d'olive, plus un peu pour arroser
- 20 g d'oignon finement râpé
- 1 à 2 cuil. à soupe d'eau bouillante
- paprika, pour saupoudrer
- olives noires et feuilles de céleri, pour garnir
- toasts, pour servir

1 Faites tremper les œufs de cabillaud dans de l'eau froide pendant 2 h. Égouttez, retirez la peau extérieure et la membrane qui enveloppent la laitance, puis passez cette dernière au mixer, à vitesse lente.

2 Le moteur toujours en marche, ajoutez le jus de citron, puis l'huile d'olive.

3 Lorsque la préparation a épaissi, incorporez l'oignon et l'eau. Transférez dans un bol et mettez au réfrigérateur. Au moment de servir, saupoudrez d'un peu de paprika. Garnissez d'olives et de branches de céleri, arrosez d'un filet d'huile et servez accompagné de pain grillé.

Salade de poivrons grillés

Ce plat roumain, la *Salata de Ardei*, est généralement servi en entrée *(meze)*, ou en accompagnement de viandes froides. Les *meze* sont présentés sur une assiette plate divisée en plusieurs sections, permettant de regrouper plusieurs entrées, telles que des morceaux de salami, de la feta, des olives ou des pickles.

INGRÉDIENTS

Pour 4 personnes

- 8 poivrons verts et/ou jaune
- 1 gousse d'ail écrasée
- 5 cuil. à soupe d'huile d'olive
- 4 cuil. à soupe de vinaigre de vin
- 4 tomates coupées en rondelles
- 1 oignon rouge coupé en fines rondelles
- poivre noir fraîchement moulu
- brins de coriandre fraîche, pour garnir
- pain noir, pour servir

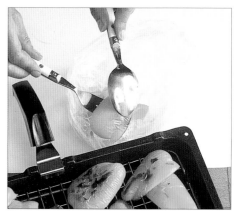

1 Coupez les poivrons en quartiers, en éliminant les parties blanches, les graines et le chapeau. Mettez-les sous un gril préchauffé, la peau vers le haut, et laissez cuire jusqu'à ce que la peau se fendille et noircisse.

2 Placez les poivrons dans un sac en plastique et laissez refroidir 15 min.

3 Retirez les poivrons du sac et pelez la peau avec un couteau.

4 Mélangez l'ail, l'huile d'olive et le vinaigre. Répartissez les poivrons, les tomates et l'oignon sur 4 assiettes, puis arrosez avec l'assaisonnement. Salez, poivrez, garnissez avec des brins de coriandre et servez accompagné de pain noir.

Salade de poulpe

La mer Adriatique sépare l'Italie de l'ancienne Yougoslavie, d'où les nombreuses similitudes entre les deux cuisines – en particulier dans leur prédilection pour le poisson frais et les fruits de mer, les olives, l'huile et le vinaigre.

INGRÉDIENTS

Pour 4 à 6 personnes

- 1 kg de poulpe (ou de seiche), préparé
- 18 cl d'huile d'olive
- 2 cuil. à soupe de vinaigre de vin blanc
- 2 cuil. à soupe de persil frais ou de coriandre, ciselé(e)
- 12 olives noires dénoyautées
- 2 échalotes finement émincées
- 1 oignon rouge finement émincé
- sel et poivre noir fraîchement moulu
- brins de coriandre, pour garnir
- 8 à 12 feuilles de laitue romaine et quartiers de citron, pour servir

1 Dans une grande casserole, faites bouillir le poulpe (ou la seiche) dans de l'eau salée, 20 à 25 min. Lorsqu'il est cuit, égouttez-le et laissez-le refroidir avant de le couvrir et de le laisser au réfrigérateur pendant 45 min.

ASTUCE

Veillez à ne pas trop cuire le poulpe pour éviter qu'il durcisse et devienne caoutchouteux.

2 Coupez les tentacules, puis hachez la chair en morceaux de taille égale et fendez la partie épaisse des tentacules.

3 Dans une jatte, mélangez l'huile d'olive et le vinaigre de vin blanc.

4 Ajoutez le persil, les olives, les échalotes, le poulpe et l'oignon rouge. Salez et poivrez selon votre goût, puis remuez bien.

5 Disposez le poulpe sur un lit de laitue, garni de coriandre et accompagné de quartiers de citron.

VIANDES ET VOLAILLES

L'agneau a longtemps dominé la gastronomie des Balkans et lui a
donné de nombreux plats savoureux, comme les brochettes et les
ragoûts, ou encore les gigots en croûte servis pour les grandes occasions.
La cuisine des Balkans est le résultat de diverses influences,
d'où son extraordinaire variété. La recette du schnitzel de porc,
qui mélange crème aigre et porc, est une réminiscence de
ses voisins hongrois et autrichiens, tandis que la présence d'épices
dans le roulé de bœuf n'est pas sans évoquer la Turquie.

Courge farcie à l'agneau

Cette recette est idéale pour utiliser des restes de viande et de riz.

INGRÉDIENTS

Pour 6 personnes en plat principal, ou pour 12 en entrée

- 6 courges coupées en deux
- 3 cuil. à soupe de jus de citron
- 25 g de beurre
- 2 cuil. à soupe de farine
- 25 cl de crème fraîche
- 18 cl de *passata* (coulis de tomates)
- 120 g de feta émiettée et feuilles de basilic pour servir

Pour la farce

- 350 à 450 g d'agneau maigre cuit
- 175 g de riz à longs grains cuit
- 25 g de beurre fondu
- 25 g de chapelure fraîche
- 5 cl de lait
- 2 cuil. à soupe d'oignon finement haché
- 2 cuil. à soupe de persil frais ciselé
- 2 œufs battus
- sel et poivre noir fraîchement moulu

1 Préchauffez le four à 180 °C (th. 6). Coupez la base de chaque moitié de courge, si nécessaire, pour qu'elle tienne droite. À l'aide d'une cuillère à café, évidez les courges, en prenant soin de ne pas entamer la peau extérieure ou la base. Laissez 1 cm de chair à la base.

2 Faites blanchir les courges dans de l'eau bouillante additionnée du jus de citron, pendant 2 à 3 min, puis plongez-les dans l'eau froide. Égouttez bien et laissez refroidir.

3 Préparez la farce en mélangeant dans une jatte l'agneau cuit et le riz, le beurre, la chapelure, le lait, l'oignon, le persil et les œufs. Salez et poivrez. Disposez les courges dans un plat à four légèrement graissé, et garnissez avec la farce à l'agneau.

4 Pour la sauce, mettez le beurre et la farine dans une casserole. Incorporez la crème en fouettant et portez à ébullition, sans cesser de battre. Laissez cuire 1 à 2 min, afin que la sauce épaississe. Assaisonnez bien. Versez sur les courges farcies puis nappez de coulis de tomates.

5 Faites cuire les courges au four 25 à 30 min. Arrosez-les d'un peu de sauce et parsemez-les de feta et de feuilles de basilic. Servez à part un bol de sauce, avec de la feta et du basilic.

ASTUCE

Vous pouvez remplacer les courges par des grosses courgettes en les évidant selon le même procédé.

Agneau en croûte à la bulgare

Ce plat remarquable est servi pour les fêtes. Écumez les sucs de la viande, portez-les à ébullition et servez en jus avec l'agneau.

INGRÉDIENTS

Pour 6 à 8 personnes

- 1,5 kg de gigot d'agneau désossé
- 40 g de beurre
- 1/2 cuil. à café de chacune des herbes séchées suivantes : thym, basilic et origan
- 2 gousses d'ail écrasées
- 3 cuil. à soupe de jus de citron
- sel pour saupoudrer
- 1 œuf battu pour souder la pâte et dorer
- 1 brin d'origan ou de marjolaine, pour garnir

Pour la pâte

- 450 g de farine tamisée
- 250 g de beurre froid coupé en dés
- 15 à 25 cl d'eau froide

1 Préchauffez le four à 190 °C (th. 6). Pour préparer la pâte, placez la farine et le beurre dans le bol du mixer, puis mélangez jusqu'à l'obtention d'une sorte de fine chapelure. Versez suffisamment d'eau froide pour obtenir une pâte onctueuse, non collante. Pétrissez-la doucement et façonnez-la en boule. Enveloppez de film plastique et laissez au réfrigérateur 1 à 2 h.

2 Pendant ce temps, posez le gigot dans un plat à four, ficelez-le soigneusement et pratiquez 20 petites entailles avec un couteau aiguisé.

3 Travaillez en crème le beurre, les herbes séchées, l'ail et le jus de citron, puis garnissez-en les entailles du gigot. Saupoudrez de sel.

4 Faites cuire le gigot 1 h environ, puis laissez-le refroidir. Retirez la ficelle.

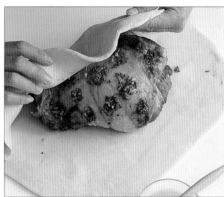

5 Abaissez la pâte sur une surface légèrement farinée en un morceau suffisamment large pour envelopper le gigot. Soudez les bords de la pâte avec de l'œuf et posez-le dans un plat à four.

6 Avec les chutes de pâte, découpez des formes à l'emporte-pièce pour décorer le gigot. Badigeonnez à l'œuf. Remettez à cuire au four encore 30 à 45 min. Servez chaud, accompagné du jus, et garni d'1 brin d'origan ou de marjolaine.

Pain de viande

Comme de nombreuses recettes serbes, ce plat est peu onéreux et facile à réaliser. Il exige seulement une viande de bonne qualité et quantité d'herbes fraîches.

Ingrédients

Pour 4 à 6 personnes

- 8 tranches de lard fumé, sans la couenne
- 2 tranches de lard maigre coupées en petits lardons
- 1 oignon finement émincé
- 2 gousses d'ail écrasées
- 120 g de chapelure fraîche
- 10 cl de lait
- 450 g de bœuf haché maigre
- 450 g de porc haché maigre
- 1/2 cuil. à café de thym frais ciselé
- 2 cuil. à soupe de persil frais ciselé
- 2 œufs battus
- sel et poivre noir fraîchement moulu
- purée de pommes de terre aux herbes et carottes, pour servir

1 Préchauffez le four à 200 °C (th. 7). Tapissez un moule à pain de 1,75 l de contenance avec des tranches de lard fumé. Étirez les tranches avec le dos de la lame d'un couteau, si nécessaire, pour couvrir complètement le moule.

2 Faites frire à sec les lardons dans une grande poêle jusqu'à ce qu'ils soient presque croustillants. Incorporez l'oignon et l'ail et faites frire encore 2 à 3 min. Ils doivent dorer légèrement.

3 Dans une jatte, faites tremper la chapelure dans le lait 5 min, jusqu'à ce que le lait soit complètement absorbé.

4 Ajoutez les viandes hachées, le lard, l'oignon, l'ail, le thym, le persil et les œufs. Salez et poivrez, puis mélangez bien.

5 Transférez la préparation dans le moule. Égalisez le dessus et couvrez de papier aluminium. Faites cuire au four 1 h 30 environ. Démoulez et servez coupé en tranches, avec une purée de pommes de terre aux herbes et des carottes.

Porc à la choucroute

La présence de la choucroute et de la moutarde est caractéristique des cuisines d'Europe centrale ; celle des piments, en revanche, donne une touche méridionale.

Ingrédients

Pour 4 personnes

- 450 g de porc ou de veau maigre, coupé en dés
- 4 cuil. à soupe d'huile végétale ou de saindoux fondu
- 1/2 cuil. à café de paprika
- 400 g de choucroute égouttée et soigneusement rincée
- 2 piments rouges frais
- 10 cl de bouillon de porc
- sel et poivre noir fraîchement moulu
- 5 cl de crème aigre
- moutarde à gros grains, paprika et feuilles de sauge, pour garnir
- pain croustillant, pour servir

1 Dans une poêle à fond épais, faites cuire le porc ou le veau dans l'huile jusqu'à ce qu'il dore sur toutes les faces.

2 Ajoutez le paprika et la choucroute. Remuez bien et transférez dans une cocotte.

3 Coupez les piments en deux et épépinez-les avant de les ajouter au contenu de la cocotte.

4 Versez le bouillon. Couvrez et laissez cuire à feu doux 1 h à 1 h 30, en remuant de temps en temps pour empêcher la viande d'attacher.

5 Retirez les piments, si vous le souhaitez, puis salez et poivrez à votre goût. Nappez de crème aigre et de quelques cuillerées à soupe de moutarde, saupoudrez de paprika et garnissez de feuilles de sauge. Servez avec du pain croustillant.

Schnitzel de porc

Cette recette croate incorpore quantité d'ingrédients d'Europe centrale.

INGRÉDIENTS

Pour 4 personnes

- 4 côtes de porc ou escalopes, d'environ 200 g chacune
- 4 cuil. à soupe d'huile d'olive
- 120 g de foies de poulet hachés
- 1 gousse d'ail écrasée
- farine assaisonnée
- sel et poivre noir fraîchement moulu
- 1 cuil. à soupe de persil frais ciselé, pour garnir

Pour la sauce

- 1 oignon finement émincé
- 120 g de lard finement émincé
- 175 g de champignons sauvages émincés
- 12 cl d'huile d'olive
- 1 cuil. à café de moutarde
- 15 cl de vin blanc
- 12 cl de crème aigre
- 25 cl de crème fraîche épaisse
- sel et poivre noir fraîchement moulu

1 Placez le porc entre 2 feuilles de film plastique ou de papier sulfurisé humides, puis aplatissez avec un rouleau à pâtisserie afin d'obtenir des escalopes de 15 × 10 cm environ. Assaisonnez bien.

2 Chauffez la moitié de l'huile dans une poêle, puis faites revenir les foies de poulet et l'ail 1 à 2 min. Égouttez sur du papier absorbant et laissez refroidir.

VARIANTE

Remplacez le porc par du veau ou du poulet, en les cuisant à l'identique.

3 Répartissez les foies entre les 4 escalopes, puis roulez celles-ci en petits paquets. Ficelez-les avant de les passer légèrement dans la farine assaisonnée.

4 Chauffez le reste d'huile, puis faites dorer les *schnitzels*, à feu doux, 6 à 8 min de chaque côté. Égouttez sur du papier absorbant et gardez au chaud.

5 Préparez la sauce : faites frire le lard, l'oignon et les champignons dans l'huile, 2 à 3 min, puis ajoutez la moutarde, le vin blanc et la crème aigre. Remuez jusqu'au seuil de l'ébullition, puis ajoutez la crème fraîche, salez et poivrez.

6 Disposez les *schnitzels* sur des assiettes, avec un peu de sauce à côté. Servez le reste de la sauce dans une saucière. Garnissez de persil.

Roulés de bœuf aux épices

Cette recette s'inspire des cuisines slovaque, grecque et russe, avec une touche épicée due à la coriandre et au poivre.

INGRÉDIENTS

Pour 4 personnes

- 4 tranches épaisses (10 à 15 cm) de bœuf
- 5 cl d'huile d'olive ou végétale, plus un peu pour frire
- 2 cuil. à soupe de grains de poivre noir grossièrement écrasés
- 2 cuil. à soupe de graines de coriandre
- 1 oignon finement émincé
- 30 cl de vin rouge bulgare ou de vin rouge sec
- 1 œuf battu
- 150 g de tomates concassées
- polenta et crème aigre, pour servir

Pour la farce

- 120 g de jambon haché
- 40 g de chapelure
- 2 ciboules finement émincées
- 3 cuil. à soupe de persil frais ciselé
- 1 jaune d'œuf
- 75 g de poivron vert, épépiné et finement émincé
- 2 pincées de quatre-épices en poudre

1 Placez les tranches de bœuf entre 2 feuilles de film plastique ou de papier sulfurisé humide. Aplatissez la viande avec un rouleau à pâtisserie jusqu'à ce qu'elle s'affine de façon égale. Plongez les tranches dans l'huile.

2 Posez la viande à plat, puis parsemez-la de grains de poivre écrasés, de graines de coriandre et d'oignon.

3 Roulez la viande et placez-la dans une jatte. Arrosez avec la moitié du vin, couvrez de film plastique et mettez à réfrigérer pendant 2 h.

4 Mélangez tous les ingrédients de la farce dans une jatte, et ajoutez un peu d'eau ou de bouillon de bœuf, si nécessaire, pour humidifier la farce.

5 Retirez la viande du plat et secouez pour éliminer les épices et l'oignon. Déposez 2 à 3 cuillerées à soupe de farce au milieu de chaque tranche de viande.

6 Badigeonnez un côté avec de l'œuf et roulez. Maintenez en place avec une pique à cocktail ou nouez par une ficelle.

7 Chauffez un peu d'huile dans une poêle et faites dorer les roulés de bœuf sur toutes les faces. Baissez le feu, arrosez avec le reste de vin et nappez de tomates concassées. Laissez mijoter 25 à 30 min, jusqu'à ce que la viande soit cuite. Assaisonnez bien et servez accompagné de sauce, de polenta, de crème aigre et de beaucoup de poivre écrasé. Garnissez avec 1 brin de persil.

Escalopes de veau panées

Ce plat très simple s'inspire d'une recette allemande. La présence des pâtes ajoute une note méditerranéenne.

Ingrédients

Pour 4 personnes

- 4 escalopes de veau d'environ 175 g chacune
- 75 g de farine assaisonnée
- 2 œufs battus
- 120 g de chapelure
- 2 cuil. à soupe d'huile
- 50 g de beurre
- poivre blanc grossièrement moulu
- huile végétale, pour badigeonner
- ciboulette et paprika, pour garnir
- quartiers de citron, tagliatelles au beurre et salade verte, pour servir

1 Placez les escalopes de veau entre 2 feuilles de film plastique ou de papier sulfurisé humide. Aplatissez la viande avec un rouleau à pâtisserie jusqu'à ce qu'elle s'agrandisse de moitié. Pressez du poivre blanc moulu sur les deux côtés des escalopes.

2 Mettez la farine, les œufs et la chapelure dans 3 assiettes. Badigeonnez les escalopes d'un peu d'huile, puis passez-les dans la farine. Secouez pour éliminer l'excès de farine, puis passez-les dans l'œuf et finalement dans la chapelure. Laissez reposer à couvert pendant 30 min.

3 Chauffez la moitié du beurre et l'huile dans une grande poêle et faites rissoler les escalopes, 1 par 1, à feu doux, 3 à 4 min de chaque côté. Le feu ne doit pas être trop fort afin que la viande ne durcisse pas. Conservez les premières escalopes au chaud pendant que vous cuisez les suivantes.

4 Garnissez chaque escalope avec 1/3 du restant de beurre. Garnissez de ciboulette et d'1 pincée de paprika. Servez avec des quartiers de citron, des tagliatelles au beurre et une salade verte.

Astuce

Pour éviter que la chapelure ne s'effrite pendant la cuisson, dessinez des croisillons avec le dos de la lame d'un couteau.

Brochettes à la roumaine

Les brochettes sont appréciées dans le monde entier, notamment parce qu'elles peuvent s'adapter aux goûts de chacun. Dans cette variante, la viande d'agneau est marinée, puis grillée avec des morceaux de légumes pour obtenir un plat savoureux, coloré et sain. Traditionnellement, les brochettes sont servies avec du jus de raisin non fermenté *(mustarii)* et du pain.

INGRÉDIENTS

Pour 6 personnes

- 700 g d'agneau maigre coupé en dés de 4 cm
- 12 échalotes ou oignons grelots
- 2 poivrons verts, épépinés et coupés en 12 morceaux
- 12 petites tomates
- 12 petits champignons
- brins de romarin, pour garnir
- rondelles de citron, riz et pain croustillant, pour servir

Pour la marinade

- le jus d'1 citron
- 12 cl de vin rouge
- 1 oignon haché
- 4 cuil. à soupe d'huile d'olive
- 1/2 cuil. à café de sauge et de romarin séchés
- sel et poivre noir fraîchement moulu

1 Pour préparer la marinade, mélangez dans une jatte le jus de citron, le vin rouge, l'oignon, l'huile d'olive, les herbes, du sel et du poivre.

2 Placez les dés d'agneau dans la marinade. Couvrez et laissez au réfrigérateur 2 à 12 h, en remuant de temps en temps.

3 Retirez l'agneau de la marinade et enfilez les morceaux sur 6 brochettes en alternant avec des oignons, du poivron, des tomates et des champignons.

VARIANTE

On peut modifier cette recette en garnissant les brochettes avec 2 cuillerées à soupe de persil frais et de l'oignon finement émincé.

4 Faites cuire les brochettes sur les braises chaudes d'un barbecue ou sous un gril préchauffé 10 à 15 min, en les retournant une fois. Utilisez la marinade pour badigeonner les brochettes pendant la cuisson et éviter ainsi que la viande ne sèche.

5 Servez les brochettes sur un lit de riz, parsemées de romarin frais et accompagnées de rondelles de citron et de tranches de pain croustillant.

Poulet aux haricots rouges

Ce copieux plat bulgare est particulièrement riche en saveur, couleur et texture.

INGRÉDIENTS

Pour 4 à 6 personnes

- 275 g de haricots secs ayant trempé toute la nuit
- 8 à 12 morceaux de poulet du type cuisses et pilons
- 12 tranches de lard, sans la couenne
- 2 gros oignons finement émincés
- 25 cl de vin blanc sec
- 1/2 cuil. à café de sauge fraîche ou d'origan ciselé(e)
- 1/2 cuil. à café de romarin frais ciselé
- 1 généreuse pincée de noix de muscade
- 15 cl de crème aigre
- 1 cuil. à soupe de piment en poudre ou de paprika
- sel et poivre noir fraîchement moulu
- brins de romarin, pour garnir
- quartiers de citron, pour servir

1 Préchauffez le four à 180 °C (th. 6). Faites cuire les haricots dans de l'eau bouillante pendant 20 min. Rincez-les, égouttez-les et réservez-les. Dans le même temps, dégraissez les morceaux de poulet, salez et poivrez-les.

2 Tapissez le fond et les bords d'un plat à four avec les tranches de lard. Parsemez avec la moitié des oignons, puis la moitié des haricots. Recouvrez d'une autre couche d'oignons, puis du reste des haricots.

3 Dans une jatte, mélangez le vin et la sauge fraîche ou l'origan, le romarin et la noix de muscade. Versez sur les oignons et les haricots. Dans une autre jatte, mélangez la crème aigre et le piment ou le paprika.

4 Plongez les morceaux de poulet dans la crème aigre, puis disposez-les sur les haricots. Couvrez de papier aluminium et laissez cuire au four 1 h 15 à 1 h 30. Retirez le papier 15 min avant la fin. Servez garni de romarin et de citron.

Poulet en cocotte

Cette méthode bulgare traditionnelle de cuire le poulet – dans une cocotte – permet à la viande de cuire lentement dans ses sucs.

INGRÉDIENTS

Pour 6 à 8 personnes

- 8 morceaux de poulet
- 6 à 8 tomates mûres concassées
- 2 gousses d'ail écrasées
- 3 oignons émincés
- 4 cuil. à soupe d'huile ou de saindoux fondu
- 25 cl de bouillon de poule
- 2 feuilles de laurier
- 2 cuil. à café de paprika
- 10 grains de poivre blanc écrasés
- 1 poignée de persil (avec les tiges)
- sel

1 Déposez le poulet, les tomates et l'ail dans une cocotte. Couvrez et laissez cuire à feu doux pendant 10 à 15 min.

ASTUCE

Pour rehausser la saveur de ce plat, ajoutez 1 piment épépiné et finement haché à l'étape 2.

2 Ajoutez le reste des ingrédients, à l'exception des feuilles de persil. Mélangez bien.

3 Couvrez et laissez cuire, à feu très doux, en remuant de temps en temps, entre 1 h 45 et 2 h, jusqu'à ce que le poulet soit cuit. Peu avant la fin de la cuisson, ciselez finement les feuilles de persil et incorporez-les.

Poulet Varna

Dans ce plat savoureux, le poulet est accompagné d'une sauce aux herbes.

Ingrédients

Pour 8 personnes

- 1 poulet de 1,75 kg coupé en morceaux
- 1/2 cuil. à café de thym frais ciselé
- 40 g de beurre
- 3 cuil. à soupe d'huile végétale
- 3 à 4 gousses d'ail écrasées
- 2 oignons finement émincés
- sel et poivre noir fraîchement moulu
- feuilles de basilic et de thym, pour garnir
- riz cuit, pour servir

Pour la sauce

- 12 cl de xérès sec
- 3 cuil. à soupe de purée de tomates
- quelques feuilles de basilic frais
- 2 cuil. à soupe de vinaigre de vin blanc
- 1 généreuse pincée de sucre cristallisé
- 1 cuil. à café de moutarde douce
- 400 g de tomates concassées
- 230 g de champignons émincés

1 Préchauffez le four à 180 °C (th. 6). Salez et poivrez le poulet, puis parsemez-le de thym. Dans une grande poêle, faites-le dorer dans le beurre et l'huile. Retirez-le de la poêle, placez-le dans un plat à four et réservez au chaud.

Astuce

Remplacez les champignons de culture par des variétés sauvages. Veillez toutefois à bien les nettoyer avant usage.

2 Ajoutez l'ail et l'oignon dans la poêle et faites revenir 2 à 3 min.

3 Pour préparer la sauce, mélangez le xérès, la purée de tomates, du sel et du poivre, le basilic, le vinaigre et le sucre. Ajoutez la moutarde et les tomates. Versez dans la poêle et portez à ébullition.

4 Baissez le feu et incorporez les champignons. Rectifiez l'assaisonnement avec du sucre ou du vinaigre, à votre goût.

5 Versez la sauce sur le poulet. Mettez au four, à couvert, 45 à 60 min, jusqu'à ce que le poulet soit bien cuit. Servez sur un lit de riz, garni de basilic et de thym.

Poulet Ghiveci

Les Roumains font usage d'une belle variété de légumes saisonniers pour préparer ce ragoût. Pour en rehausser encore la saveur, on y ajoute des herbes locales, comme le romarin, la marjolaine et le thym.

INGRÉDIENTS

Pour 6 personnes

- 1 poulet d'environ 1,5 kg
- 4 cuil. à soupe d'huile végétale ou de saindoux fondu
- 1 oignon doux finement émincé
- 2 gousses d'ail écrasées
- 2 poivrons rouges épépinés et émincés
- 9 cl de purée de tomates
- 3 pommes de terre coupées en dés
- 1 cuil. à café de romarin frais ciselé
- 1 cuil. à café de marjolaine fraîche ciselée
- 1 cuil. à café de thym frais ciselé
- 3 carottes coupées en tronçons
- 1/2 petit céleri-rave coupé en morceaux
- 12 cl de vin blanc sec
- 2 courgettes coupées en rondelles
- sel et poivre noir fraîchement moulu
- romarin et marjolaine frais ciselés, pour garnir
- pain de seigle noir, pour servir

1 Chauffez l'huile dans une grande cocotte. Ajoutez l'oignon et l'ail et laissez cuire 1 à 2 min. Puis incorporez les poivrons rouges.

2 Découpez le poulet en 6 morceaux, placez-les dans la cocotte et faites-les dorer, à feu doux, sur toutes les faces.

3 Après 15 min de cuisson, ajoutez la purée de tomates, les pommes de terre, les herbes, les carottes, le céleri-rave et le vin blanc. Salez et poivrez selon votre goût. Prolongez la cuisson, à couvert, pendant encore 40 à 50 min.

4 Ajoutez les rondelles de courgettes 5 min avant la fin de la cuisson. Rectifiez l'assaisonnement à votre goût. Garnissez avec des herbes et servez accompagné de pain de seigle noir.

ASTUCE

À défaut d'herbes fraîches, remplacez-les par 1/2 cuillerée à café d'herbes séchées.

Canette farcie, sauce aux abricots

Ce plat classique est délicieux
et très facile à préparer.

INGRÉDIENTS

Pour 4 personnes

- 1 canette de 1,75 kg
- 4 cuil. à soupe de persil frais ciselé
- 1 citron coupé en quartiers
- 3 carottes coupées en rondelles
- 2 branches de céleri coupées en rondelles
- 1 oignon grossièrement émincé
- sel et poivre noir fraîchement moulu
- abricots et fleurs de sauge, pour garnir

Pour la sauce

- 420 g d'abricots au sirop
- 50 g de sucre cristallisé
- 2 cuil. à café de moutarde anglaise
- 4 cuil. à soupe de confiture d'abricots
- 1 cuil. à soupe de jus de citron
- 2 cuil. à café de zeste de citron frais
- 5 cl de jus d'orange frais
- 2 pincées de gingembre et de coriandre
- 4 à 5 cuil. à soupe de cognac

1 Préchauffez le four à 220 °C (th. 8). Videz la canette et essuyez l'intérieur avec du papier absorbant. Salez et poivrez généreusement la peau.

2 Mélangez le persil ciselé, le citron, les carottes, les branches de céleri et l'oignon dans une jatte, puis introduisez le tout dans la canette.

3 Faites cuire la canette pendant 45 min sur un trépied posé dans un plat à four. Badigeonnez de temps en temps la volaille avec le jus de cuisson.

4 Retirez la canette du four et piquez la peau avec une fourchette. Enfournez à nouveau, réduisez la température du four à 180 °C (th. 6) et poursuivez la cuisson encore 1 h à 1 h 30. La volaille doit être dorée et sa peau croustillante.

5 Mettez les abricots avec leur sirop, le sucre et la moutarde dans le bol du mixer. Ajoutez la confiture et réduisez en une purée lisse.

6 Versez la purée d'abricots dans une casserole, puis incorporez le jus et le zeste de citron, le jus d'orange et les épices. Portez à ébullition, ajoutez le cognac et laissez cuire 1 à 2 min. Retirez du feu et rectifiez l'assaisonnement.

7 Retirez les fruits, les légumes et les herbes présents à l'intérieur de la volaille et disposez celle-ci sur un plat de service. Garnissez avec des abricots frais et des fleurs de sauge. Servez la sauce dans une saucière à part.

Dinde Zador aux mlinces

Voici une recette croate pour les fêtes. Les *mlinces* sont généralement imbibées de jus.

INGRÉDIENTS

Pour 10 à 12 personnes

- 1 dinde d'environ 3 kg, décongelée si nécessaire
- 2 gousses d'ail coupées en deux
- 120 g de lard fumé finement émincé
- 2 cuil. à soupe de romarin frais ciselé
- 12 cl d'huile d'olive
- 25 cl de vin blanc sec
- lardons grillés et brins de romarin, pour servir

Pour les *mlinces*

- 350 g de farine tamisée
- 12 à 15 cl d'eau chaude
- 2 cuil. à soupe d'huile
- sel

1 Préchauffez le four à 200 °C (th. 7). Séchez soigneusement l'intérieur et l'extérieur de la dinde avec du papier absorbant. Frottez-la entièrement avec la moitié de l'ail.

2 Mélangez le lard fumé et le romarin, puis farcissez-en le cou de la dinde. Fermez la peau avec une pique à cocktail. Badigeonnez d'huile.

3 Placez la volaille dans un plat à four et couvrez de papier aluminium. Faites cuire 45 à 50 min, puis retirez le papier aluminium et réduisez la température du four à 160 °C (th. 4).

4 Badigeonnez la dinde avec les sucs de cuisson, puis mouillez de vin blanc. Laissez cuire 1 h, en arrosant de temps en temps de jus. Réduisez ensuite la température du four à 150 °C (th. 4) et prolongez la cuisson encore 45 min, en badigeonnant généreusement la volaille.

5 Dans le même temps, préparez les *mlinces* : travaillez la farine avec du sel, l'eau et l'huile jusqu'à obtenir une pâte souple. Divisez-la en 4 parts égales.

6 Abaissez la pâte sur une surface légèrement farinée en disques de 40 cm de diamètre. Saupoudrez-les de sel. Faites cuire au four sur des plaques, en même temps que la dinde, pendant 25 min. Lorsqu'elles sont croustillantes, cassez-les en morceaux de 6 à 10 cm.

7 Environ 6 à 8 min avant la fin de la cuisson de la dinde, ajoutez les *mlinces* au jus autour de la volaille. Servez garni de lardons grillés et de romarin.

POISSONS

*Les nombreuses rivières, ainsi que la mer Adriatique
et la mer Noire qui bordent la région, fournissaient jadis du
poisson en abondance. S'il se fait plus rare aujourd'hui, la cuisine
des Balkans comprend cependant une extraordinaire variété de plats
de poissons. La carpe prédomine, mais la truite, l'espadon, le poulpe
et la friture sont également appréciés. Dans nombre de ces recettes,
herbes, épices, légumes frais ou mamaliga, une céréale locale,
contribuent à créer des mets simples et savoureux.*

Poisson en croûte

Dans cette recette paysanne, le poisson entier est enveloppé dans la pâte, ce qui permet de retenir jus et saveur.

INGRÉDIENTS

Pour 4 à 6 personnes

- 1 poisson entier d'environ 1 kg, du type mulet gris, dépiauté et vidé
- sel de mer
- brins de fenouil, pour garnir
- quartiers de citron et salade aux courgettes et à l'aneth, pour servir

Pour la pâte

- 230 g de farine blanche tamisée
- 2 pincées de sel
- 7 g de levure de boulanger en sachet
- 1 œuf battu
- 10 à 12 cl de lait tiède et d'eau mélangés

1 Préchauffez le four à 180 °C (th. 6). Essuyez le poisson avec du papier absorbant, puis saupoudrez l'intérieur et l'extérieur de sel. Couvrez et laissez au réfrigérateur jusqu'à ce que la pâte soit prête.

2 Dans une jatte, mélangez la farine et le sel, puis incorporez la levure. Faites un puits au centre. Fouettez ensemble l'œuf, le lait et l'eau, puis versez-en la moitié au centre de la farine. Travaillez jusqu'à l'obtention d'une pâte molle.

3 Sur une surface légèrement farinée, pétrissez la pâte jusqu'à ce qu'elle soit lisse. Divisez la pâte en 2 parts, l'une légèrement plus grande que l'autre.

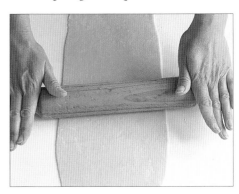

4 Abaissez le plus petit morceau de pâte sur une surface légèrement farinée en lui donnant la forme du poisson, et prévoyez une bordure de 5 cm. Déposez la pâte sur une grande plaque à four graissée. Placez le poisson dessus.

5 Abaissez l'autre morceau de pâte de façon à ce qu'il puisse recouvrir le poisson, en prévoyant aussi une bordure de 5 cm. Badigeonnez les bords de pâte avec de l'eau et soudez. À l'aide d'un couteau, dessinez des croisillons sur le dessus de la pâte. Laissez lever pendant 30 min.

6 Dorez la pâte avec le reste d'œuf. Faites un petit trou sur le dessus de la pâte pour permettre à la vapeur de s'échapper. Faites cuire le poisson au four 25 à 30 min. La pâte doit bien dorer et lever suffisamment. Garnissez de brins de fenouil et servez avec des quartiers de citron et une salade de courgettes coupées en fines lamelles, mélangées à du beurre fondu et parsemées de graines d'aneth.

Brochettes d'espadon

On trouve de l'espadon dans les eaux de l'Adriatique et de la mer Noire. Sa chair ferme, généreuse, est idéale à cuire en brochette, au barbecue, pochée, à la vapeur et au four.

INGRÉDIENTS

Pour 4 personnes

- 900 g d'espadon dépiauté
- 1 cuil. à café de paprika, plus un peu pour garnir
- 4 cuil. à soupe de jus de citron
- 3 cuil. à soupe d'huile d'olive
- 6 feuilles de laurier frais
- 4 petites tomates
- 2 poivrons verts épépinés et coupés en morceaux de 5 cm
- 2 oignons coupés en quatre
- sel et poivre noir fraîchement moulu
- feuilles de laurier, pour garnir
- feuilles de laitue, crème aigre, salade de concombre, quartiers de citron vert, pour servir

Pour la sauce

- 12 cl d'huile d'olive vierge
- le jus d'1 citron
- 4 cuil. à soupe de persil frais finement ciselé
- sel et poivre noir fraîchement moulu

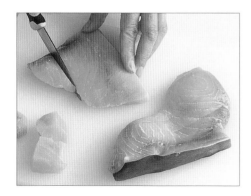

1 Coupez l'espadon en dés de 5 cm que vous placez dans un plat creux.

2 Mélangez le paprika, le jus de citron, l'huile d'olive, du sel et du poivre, et versez sur le poisson. Écrasez 2 feuilles de laurier dessus. Laissez mariner au réfrigérateur, à couvert, pendant au moins 2 h.

3 Retournez plusieurs fois les morceaux de poisson dans la marinade.

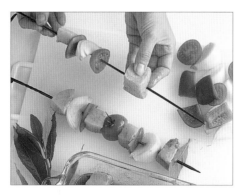

4 Faites 4 brochettes avec le poisson, les légumes et 1 feuille de laurier.

5 Faites cuire sous un gril préchauffé ou sur les braises chaudes d'un barbecue, en badigeonnant avec le reste de marinade de temps en temps. Tournez les brochettes pendant la cuisson.

6 Préparez la sauce : dans une jatte, fouettez l'huile, le jus de citron, le persil, du sel et du poivre, jusqu'à ce que le mélange émulsionne, puis transvasez-le dans une saucière. Disposez les brochettes sur des feuilles de laitue et servez avec la sauce, de la crème aigre saupoudrée de paprika, une salade de concombre et des quartiers de citron vert. Garnissez avec quelques feuilles de laurier.

ASTUCE

Pour éviter que l'oignon se défasse pendant la cuisson, conservez la partie centrale intacte au moment de le préparer. Vous pourrez ainsi enfiler l'oignon sur la brochette sans qu'il se sépare en morceaux. On peut remplacer l'espadon par de l'esturgeon, du flétan ou du cabillaud.

Truite au gril

Aujourd'hui, les truites sont généralement d'élevage, même si quelques spécimens fréquentent encore les rivières, cours d'eau et lacs des Balkans. Ce joli poisson a une chair rose à saveur prononcée qui permet de le cuisiner de façon très simple.

INGRÉDIENTS

Pour 4 personnes

- 4 filets de truite
- 50 g de beurre fondu
- 1 cuil. à café d'aneth frais ciselé
- 1 cuil. à café de persil plat frais ciselé
- 4 à 6 cuil. à soupe de jus de citron
- sel et poivre noir fraîchement moulu
- feuilles de cardon rouges et brins de persil plat, pour garnir

1 Mélangez le beurre, l'aneth, le persil plat, du sel et du poivre.

ASTUCE

Si vous utilisez un barbecue, placez la truite sur un gril double permettant de la retourner facilement. Pour éviter que les extrémités ne brûlent, badigeonnez le poisson d'un peu d'eau et saupoudrez-le de gros sel.

2 Badigeonnez les 2 côtés des filets de truite avec le beurre aux herbes avant de les placer sous un gril préchauffé.

3 Laissez griller 5 min, puis retournez délicatement et faites cuire l'autre côté, en badigeonnant du reste de beurre.

4 Juste avant de servir, arrosez de jus de citron. Garnissez de feuilles de cardon et de brins de persil plat.

Poisson en papillotes

La cuisson du poisson en papillote était une méthode traditionnellement utilisée par les pêcheurs. Ils attachaient des feuilles ou du papier autour de leur prise, puis humidifiaient les papillotes avec de l'eau, les enfouissaient dans les cendres chaudes et les recouvraient de braises brûlantes.

INGRÉDIENTS

Pour 4 personnes

- 4 petits loups de mer ou truites, d'environ 400 g chacun(e)
- le jus d'1 citron
- 50 g de beurre fondu
- quelques brins de persil ou d'aneth
- 1/2 bulbe de fenouil coupé en lanières
- sel et poivre noir fraîchement moulu ou piment de cayenne
- pain au maïs et salade de tomates et concombre, pour servir

1 Préchauffez le four à 180 °C (th. 6), ou allumez le barbecue. Retirez la tête, la queue, les nageoires et les écailles des poissons. Séchez-les, puis assaisonnez-les bien. Arrosez-les avec le jus de citron.

2 Découpez une double épaisseur de papier sulfurisé, suffisamment grande pour envelopper le poisson et fermer la papillote. Badigeonnez 1 poisson de beurre fondu et disposez-le au centre du papier. Parsemez de persil et de fenouil. Procédez de même pour les autres poissons.

3 Enveloppez les poissons en repliant les bords du papier. Faites cuire au four pendant 15 à 20 min, en fonction de l'épaisseur des poissons ; de 20 à 30 min au barbecue.

4 Transférez les poissons sur des assiettes et retirez le papier au moment de servir. Garnissez avec le reste d'herbes et accompagnez de pain de maïs et d'une salade de tomates et concombre.

Poisson aux oignons en cocotte

Pour ce plat, privilégiez un poisson blanc, ferme, du type cabillaud ou mulet gris.

INGRÉDIENTS

Pour 4 personnes

- 4 tranches de poisson d'environ 175 g chacune, dépiautées
- 3 cuil. à soupe d'huile d'olive
- 4 oignons finement émincés
- 1 cuil. à café de sel de mer
- 3 cuil. à soupe d'eau
- 3 gousses d'ail écrasées
- 1 feuille de laurier
- 6 baies de quatre-épices
- 1/2 cuil. à café de paprika
- 4 tomates olivettes, épépinées et coupées en dés
- 12 cl de vin blanc, plus 3 cuil. à soupe
- jus de citron, pour arroser
- 8 rondelles de citron
- sel et poivre noir fraîchement moulu
- 1 cuil. à soupe de persil frais ciselé, pour garnir
- pain croustillant, pour servir

1 Préchauffez le four à 180 °C (th. 6). Déposez l'huile, les oignons, le sel de mer et l'eau dans une cocotte. Remuez bien et faites cuire à couvert et à feu très doux, pendant 45 min. L'oignon ne doit pas dorer.

ASTUCE

Pour rehausser la saveur de ce plat, faites mariner le poisson dans du sel, du poivre et du jus de citron 1 à 2 h avant la cuisson, dans un récipient non métallique, couvert.
---

2 Incorporez l'ail et laissez cuire 1 min, avant d'ajouter la feuille de laurier, le quatre-épices, le paprika, les tomates, 12 cl de vin, le sel et le poivre. Faites cuire 10 à 15 min, en remuant de temps en temps afin d'éviter que le mélange n'attache. Retirez le quatre-épices et la feuille de laurier.

3 Déposez une couche de la préparation aux oignons au fond d'un plat à four creux, puis recouvrez avec les tranches de poisson. Arrosez avec du jus de citron, salez et poivrez.

4 Arrosez avec le reste de vin blanc et disposez 2 rondelles de citron en les faisant se chevaucher légèrement sur chaque tranche de poisson. Nappez le poisson avec le reste de sauce aux oignons.

5 Enfournez la cocotte et laissez cuire 15 à 20 min. La sauce doit épaissir et le poisson s'émietter facilement. Garnissez avec du persil et servez accompagné de pain croustillant.

Carpe pochée aux graines de carvi

La carpe est le poisson d'eau douce privilégié des Balkans et de l'Europe centrale. Elle est savoureuse et facile à cuire. Ce poisson gras prospère dans les lacs et les rivières et il est généralement vendu vivant sur les marchés locaux. Optez pour une carpe de 1,5 à 1,8 kg, sinon la chair sera trop ferme.

INGRÉDIENTS

Pour 4 personnes

- 4 filets de carpe, d'environ 175 à 200 g chacun
- 1 cuil. à soupe de graines de carvi grossièrement écrasées
- 40 g de beurre
- 2 cuil. à soupe de ciboulette fraîche ciselée
- 1 oignon coupé en fines rondelles
- le jus d'1 citron
- 18 cl de vin blanc sec
- sel et poivre noir fraîchement moulu
- aneth et menthe, pour garnir
- porridge de maïs et haricots verts, pour servir

1 Lavez les filets de poisson et essuyez-les avec du papier absorbant. Assaisonnez généreusement et introduisez les graines de carvi dans la chair du poisson.

2 Faites chauffer la moitié du beurre dans une grande poêle, puis incorporez la moitié de la ciboulette, les rondelles d'oignon, le jus de citron et le vin blanc. Portez à ébullition, réduisez le feu et laissez mijoter à feu doux pendant 10 à 12 min.

3 Mettez le poisson à pocher 10 min, toujours à feu doux. Retirez les filets avec une écumoire et gardez-les au chaud sur le plat de service.

ASTUCE

Les graines de carvi donnent à ce plat une saveur bien particulière. N'hésitez pas à en faire un usage généreux.

4 Poursuivez la cuisson du fumet pour qu'il réduise un peu, puis incorporez le reste de beurre en fouettant. Rectifiez l'assaisonnement. Versez la sauce sur le poisson et garnissez avec le reste de ciboulette. Décorez d'herbes et servez accompagné de porridge de maïs et de haricots verts.

Ragoût de poisson à la purée

Utilisez de l'espadon, de la brème
de mer, du turbot, du thon,
ou tout autre poisson à chair
ferme, contenant peu d'arêtes.
Servez chaud ou froid.

INGRÉDIENTS
Pour 4 personnes

- 700 à 900 g de filets de poissons
  mélangés, dépiautés, et coupés en dés
  de 10 cm
- 3 cuil. à soupe d'huile d'olive
- 1 oignon finement émincé
- 2 gousses d'ail écrasées
- 2 cuil. à soupe de purée de tomates
- 3 tomates olivettes épépinées
  et coupées en dés
- 1 cuil. à soupe de vinaigre
- 1 feuille de laurier
- 1 cuil. à soupe de persil plat frais ciselé
- 60 cl de fumet de poisson
- 700 g de pommes de terre à purée,
  pelées et coupées en morceaux
- 2 cuil. à soupe de crème aigre
- sel et poivre noir fraîchement moulu
- persil plat frais ciselé, feuilles de laurier
  et zestes de citron râpés, pour garnir

1 Chauffez l'huile dans une grande
cocotte, puis faites fondre l'oignon
et l'ail 2 à 3 min. Ajoutez la purée de
tomates, les tomates, la feuille de laurier
et le persil. Remuez bien avant de verser
le fumet. Portez à ébullition.

ASTUCE

Pour préparer le fumet, mettez les arêtes, les
nageoires, la tête et la peau des poissons dans
une grande casserole. Ajoutez 1 à 2 carottes,
1 oignon, des brins de fenouil ou d'aneth,
quelques grains de poivre et un filet de vin
blanc sec. Couvrez d'eau froide, portez
à ébullition et laissez frémir 20 min.
Passez le fumet avant utilisation.

---

2 Ajoutez les morceaux de poisson.
Portez de nouveau à ébullition, puis
baissez le feu et laissez cuire 30 min environ, en remuant de temps en temps.

3 Faites cuire les pommes de terre 20 min
dans une grande casserole d'eau légèrement salée. Égouttez. Remettez les
pommes de terre dans la casserole, ajoutez la crème aigre et 1 pincée de poivre.
Réduisez en purée à la fourchette.

4 Assaisonnez le poisson à votre goût.
Servez accompagné de la purée de
pommes de terre dans des assiettes ou des
bols. Garnissez de persil et de feuilles de
laurier et parsemez la purée de zestes de
citron râpés.

Maquereau au vin blanc

Le vin blanc sec constitue un bon
accompagnement pour ce poisson.

INGRÉDIENTS
Pour 4 personnes

- 4 filets de maquereau, avec la queue
- 6 cl d'huile d'olive
- 2 oignons finement émincés
- 3 gousses d'ail finement hachées
- 400 g de tomates olivettes
- 25 cl de vin blanc sec
- sel et poivre noir fraîchement moulu
- citron et persil, pour garnir
- pain de seigle, pour servir

1 Préchauffez le four à 200 °C (th. 7).
Essuyez les filets de maquereau avec
du papier absorbant.

2 Dans une grande cocotte, chauffez
l'huile, puis faites fondre les oignons
pendant 3 à 4 min. Incorporez l'ail et prolongez la cuisson 2 min.

3 Ajoutez les tomates, salez et poivrez.
Laissez cuire pendant 20 min.

4 Déposez 2 filets de maquereau, la
peau tournée vers le haut. Faites
cuire 5 min, puis retirez et gardez au
chaud pendant que vous faites cuire les
2 autres filets. À l'aide d'une pelle à poisson, déposez les filets dans des plats à four
individuels, le côté cuit tourné vers le
haut. Pliez les filets en 2 et nappez-les
avec la sauce tomate.

5 Versez le vin et couvrez chaque plat
avec du papier aluminium. Faites
cuire au four pendant encore 25 min.
Servez garni de rondelles de citron,
de brins de persil et de persil ciselé, et
accompagné de pain croustillant.

Carpe farcie aux noix

Ce plat est traditionnellement servi le 6 décembre, pour célébrer saint Nicolas, le patron des pêcheurs.

INGRÉDIENTS

Pour 10 personnes

- 1 carpe entière d'environ 1,5 kg, écaillée, vidée et la laitance réservée
- gros sel de mer

Pour la farce

- 18 cl d'huile de noix
- 700 g d'oignons finement émincés
- 1 cuil. à café de paprika
- 1 pincée de cannelle en poudre
- 200 g de noix écrasées
- 1 cuil. à soupe de persil frais ciselé
- 2 cuil. à café de jus de citron frais
- 2 tomates coupées en rondelles
- 25 cl de jus de tomates
- sel et poivre noir fraîchement moulu
- noix et brins de fenouil, pour garnir

1 Préchauffez le four à 180 ° (th. 6). Saupoudrez l'intérieur du poisson avec du sel de mer.

2 Dans une poêle, faites chauffer l'huile, puis mettez l'oignon à fondre avec le paprika et la cannelle.

3 Retirez la peau ou la membrane qui recouvre la laitance et hachez celle-ci grossièrement.

4 Ajoutez la laitance et les noix dans la poêle et faites cuire 5 à 6 min, en remuant sans cesse. Laissez refroidir avant d'incorporer le persil et le jus de citron. Assaisonnez selon votre goût.

5 Remplissez l'intérieur du poisson avec la moitié de la farce et fermez par des piques à cocktail. Étalez le reste de farce sur le fond d'un plat à four, puis déposez le poisson dessus.

6 Disposez les rondelles de tomate sur le poisson et arrosez avec le jus. Faites cuire au four 30 à 45 min, jusqu'à ce que le poisson ait pris couleur et que la chair s'émiette facilement.

7 Disposez le poisson sur un plat de service. Retirez les piques à cocktail avant de le servir parsemé de morceaux de noix et de brins de fenouil.

Vivaneau farci

Cette recette originale combine harmonieusement plusieurs saveurs locales. Les vivaneaux sont ici farcis avec de la carpe et leur goût est relevé grâce au fromage salé et au concombre molossol.

INGRÉDIENTS

Pour 4 personnes

- 4 petits vivaneaux, d'environ 450 g chacun, détaillés en filets, la tête et les nageoires ôtées
- le jus d'1 citron
- 350 g de filets de poisson, du type carpe, sole ou brochet, dépiautés
- 1 blanc d'œuf
- 1/2 cuil. à café d'estragon frais ciselé
- 1 concombre molossol émincé
- 40 g de chapelure fraîche
- 40 g de feta ou de *brynza,* grossièrement émietté(e)
- sel et poivre noir fraîchement moulu
- 25 g de beurre fondu
- brins d'estragon et pensées ou autres fleurs comestibles, pour garnir
- quartiers de citron, pour servir

1 Préchauffez le four à 180 °C (th. 6). Lavez les poissons et séchez-les soigneusement en éliminant les membranes avec un peu de sel. Frottez largement l'intérieur des poissons avec le jus de citron.

2 Déposez les filets de poisson dans le bol du mixer avec le blanc d'œuf, l'estragon, le concombre molossol, la chapelure et un peu de poivre blanc, puis réduisez en une pâte lisse.

3 À l'aide d'une cuillère, remplissez les poissons de farce et disposez-les dans un plat à four.

4 Fermez les poissons avec des brochettes en bois et faites cuire au four 40 à 50 min. Arrosez de beurre fondu à mi-cuisson.

5 Transférez les poissons sur un plat de service. Servez accompagné de quartiers de citron et garni de brins d'estragon et de fleurs comestibles.

Légumes et céréales

Aubergines, courgettes, poivrons, concombres et tomates sont quelques-uns des nombreux légumes frais que l'on trouve sur les marchés de la région. Si certaines recettes présentées ici révèlent des influences turque et grecque, comme les courgettes au riz et les feuilles de vigne farcies, d'autres sont typiques des Balkans. La mamaliga au fromage illustre bien l'utilisation que l'on peut faire de cet ingrédient de base. Les savoureuses salades shopska au yaourt figurent parmi les délices typiques de cette cuisine.

Aubergines et champignons à la crème

Cette recette traditionnelle à la crème fraîche est essentiellement composée d'ingrédients locaux.

INGRÉDIENTS

Pour 4 à 6 personnes

- 2 aubergines
- 225 g de champignons coupés en rondelles
- 120 g de beurre
- 12 cl de bouillon de bœuf
- 25 cl de crème fraîche épaisse
- 4 cuil. à soupe de persil frais ciselé
- sel et poivre noir fraîchement moulu
- crème aigre, pour servir

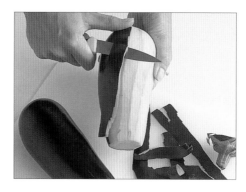

1 Pelez les aubergines avec un couteau, puis coupez-les en longs bâtonnets de 7,5 cm de long sur 5 mm d'épaisseur.

2 Posez-les sur un torchon humide et saupoudrez-les largement de sel.

3 Repliez le torchon afin de couvrir les aubergines et laissez-les dégorger 30 à 35 min. Enfin, essuyez-les bien pour éliminer l'excès d'humidité.

4 Dans une grande poêle, chauffez le beurre, puis faites revenir les aubergines et les champignons 10 min. Versez le bouillon de bœuf et laissez mijoter 15 min, en remuant de temps en temps.

5 Assaisonnez à votre goût avant d'incorporer la crème fraîche. Faites réchauffer sans laisser bouillir. Ajoutez 3 cuillerées à soupe de persil en remuant bien. Versez dans un plat de service chaud et garnissez avec le reste de persil. Servez accompagné de crème aigre.

ASTUCE

Pour obtenir un plat de légumes réellement onctueux, passez les aubergines et les champignons au mixer après les 10 premières minutes de cuisson. Mouillez avec le bouillon de bœuf et procédez comme indiqué ci-dessus.

Courgettes au riz

Ce plat témoigne de l'influence italienne, dans cette région de la mer Adriatique, sur la cuisine des Balkans.

INGRÉDIENTS

Pour 4 personnes en plat principal ou pour 8 en accompagnement

- 1 kg de petites courgettes
- 4 cuil. à soupe d'huile d'olive
- 3 oignons finement émincés
- 3 gousses d'ail écrasées
- 1 cuil. à café de piment en poudre
- 400 g de tomates concassées en boîte
- 200 de riz à grains ronds
- 60 à 75 cl de bouillon de légumes ou de poule
- 2 cuil. à soupe de persil frais ciselé
- 2 cuil. à soupe d'aneth frais ciselé
- sel et poivre noir fraîchement moulu
- brins d'aneth et olives, pour garnir
- yaourt nature, pour servir

1 Préchauffez le four à 190 °C (th. 6). Coupez les courgettes en grosses rondelles.

2 Chauffez la moitié de l'huile d'olive dans une grande poêle et mettez à revenir les oignons et l'ail, à feu doux. Lorsqu'ils sont juste cuits, incorporez le piment et les tomates, et laissez mijoter 5 à 8 min avant d'ajouter les courgettes.

ASTUCE

À l'étape 5, ajoutez si nécessaire un peu d'eau, pour éviter que la préparation ne colle.

3 Salez à votre goût. Faites cuire à feu doux pendant 10 à 15 min, avant d'incorporer le riz.

4 Versez le bouillon, couvrez et laissez mijoter pendant 45 min environ, jusqu'à ce que le riz soit tendre. Remuez de temps en temps.

5 Retirez du feu, poivrez à votre goût, puis incorporez le persil et l'aneth. Versez dans un plat à four et faites cuire au four 45 min.

6 À mi-cuisson, badigeonnez les courgettes avec le reste d'huile. Garnissez avec l'aneth et les olives. Servez accompagné du yaourt.

Tomates au four à la bulgare

Cette recette est originaire de la Thrace, au sud de la Bulgarie. Ce plat se consomme à l'époque des moissons, pendant les jours les plus chauds de l'année.

INGRÉDIENTS

Pour 4 personnes

- 2 cuil. et 1/2 à soupe d'huile d'olive
- 3 cuil. à soupe de persil plat ciselé
- 1 kg de tomates fermes et mûres
- 1 cuil. à café de sucre en poudre
- 40 g de chapelure
- 1/2 cuil. à café de piment en poudre ou de paprika
- sel
- persil ciselé, pour garnir
- pain de seigle, pour servir

1 Préchauffez le four à 200 °C (th. 7). Badigeonnez le plat à four d'1 cuillerée à soupe d'huile.

2 Parsemez le fond du plat avec le persil. Coupez les tomates en rondelles, puis disposez ces dernières dans le plat, en les faisant se chevaucher. Salez légèrement et saupoudrez avec le sucre.

VARIANTE

Vous pouvez remplacer la moitié des tomates par 450 g de courgettes. Coupez les courgettes en rondelles et alternez-les avec les rondelles de tomates en les faisant se chevaucher, puis procédez de même que ci-contre.

3 Dans une jatte, mélangez la chapelure, le reste d'huile et le piment ou le paprika, puis parsemez le dessus des tomates.

4 Faites cuire au four 40 à 50 min, en couvrant avec du papier aluminium si le dessus a tendance à dorer trop vite. Servez chaud ou froid, garni de persil ciselé et accompagné de pain de seigle.

Méli-mélo de légumes au four

Coloré et savoureux, ce plat est également très facile à réaliser.

INGRÉDIENTS

Pour 4 personnes

- 1 aubergine
- 120 g d'okras
- 250 g de petits pois
- 250 g d'haricots verts coupés en morceaux de 2,5 cm
- 4 courgettes coupées en rondelles
- 2 oignons finement émincés
- 450 g de pommes de terre pelées et coupées en dés
- 1 poivron rouge épépiné et émincé
- 400 g de tomates concassées en boîte
- 15 cl de bouillon de légumes
- 4 cuil. à soupe d'huile d'olive
- 5 cuil. à soupe de persil frais ciselé
- 1 cuil. à café de paprika
- sel

Pour la garniture

- 3 tomates coupées en rondelles
- 1 courgette coupée en rondelles

1 Préchauffez le four à 190 °C (th. 6). Coupez les aubergines en dés. Mettez les légumes frais dans une grande cocotte.

2 Incorporez les tomates en boîte, le bouillon, l'huile d'olive, le persil, le paprika et du sel à votre goût. Mélangez.

3 Égalisez la surface du plat, puis faites alterner des rondelles de tomates et de courgettes sur le dessus.

4 Couvrez la cocotte et faites cuire au four 60 à 70 min. Servez chaud ou froid, accompagné de morceaux de pain croustillant.

Feuilles de vigne farcies

Cette version végétarienne du célèbre plat grec se compose de riz, de pignons de pin et de raisins secs.

INGRÉDIENTS

Pour 40 feuilles de vigne

- 40 feuilles de vigne fraîches
- 4 cuil. à soupe d'huile d'olive
- quartiers de citron et salade croustillante, pour servir

Pour la farce

- 150 g de riz à longs grains
- 2 bouquets de ciboules finement émincées
- 40 g de pignons de pin
- 25 g de raisins secs
- 2 cuil. à soupe de feuilles de menthe fraîche ciselée
- 4 cuil. à soupe de persil frais ciselé
- 3 pincées de poivre noir fraîchement moulu
- sel

1 À l'aide d'un couteau, éliminez les grosses tiges des feuilles de vigne. Faites blanchir les feuilles dans une grande casserole d'eau bouillante salée jusqu'à ce qu'elles changent de couleur. Égouttez et rafraîchissez sous l'eau froide.

ASTUCE

À défaut de feuilles de vigne fraîches, utilisez 2 paquets de feuilles de vigne en saumure. Rincez bien avant utilisation.

2 Dans une jatte, mélangez tous les ingrédients de la farce.

3 Ouvrez les feuilles de vigne, les nervures tournées vers le haut. Disposez 1 cuillerée à café de farce sur chaque feuille.

4 Repliez les 2 bords extérieurs des feuilles pour enfermer la farce, puis roulez les feuilles de vigne de manière à former de petits paquets.

5 Disposez les feuilles de vigne farcies dans la partie supérieure d'un bain-marie et arrosez-les d'huile d'olive. Faites cuire à la vapeur 50 à 60 min, jusqu'à ce que le riz soit complètement cuit. Servez avec des quartiers de citron et une salade, froides en *meze,* ou chaudes en entrée.

Céleris-raves farcis

D'une apparence plutôt étrange, le céleri-rave est une racine qui ressemble à une tête de céleri au développement inachevé, et sa saveur est sucrée et noisetée, comme celle du céleri. On peut le faire bouillir dans l'eau ou du bouillon. Dans cette recette roumaine, il est cuit dans un mélange d'huile d'olive et d'eau citronnée, ce qui rehausse encore sa saveur.

INGRÉDIENTS

Pour 4 personnes

- 4 petits céleris-raves d'environ 200 à 250 g chacun
- le jus de 2 citrons
- 15 cl d'huile d'olive extra-vierge
- quartiers de citron et brins de persil plat, pour garnir

Pour la farce

- 6 gousses d'ail finement hachées
- 1 cuil. à café de grains de poivre noir finement écrasés
- 4 à 5 cuil. à soupe de persil frais ciselé
- sel

1 Pelez soigneusement les céleris avec un couteau et immergez-les rapidement dans une jatte remplie d'eau et de jus de citron jusqu'à leur utilisation.

ASTUCE

Il est indispensable d'ajouter du jus de citron à l'eau afin de prévenir la décoloration des céleris pelés.

2 Réservez l'eau citronnée. Très délicatement, creusez les céleris en formant une coque d'environ 2 cm d'épaisseur, dans laquelle vous déposerez la farce.

3 Hachez rapidement la chair de céleri retirée et mélangez-la à l'ail et aux grains de poivre. Ajoutez le persil et salez.

4 Remplissez les coques de céleri avec la farce, puis déposez-les dans une grande cocotte, en vous assurant qu'elles restent droites pendant toute la cuisson. Arrosez avec l'huile d'olive et suffisamment d'eau citronnée pour atteindre les céleris à mi-hauteur.

5 Laissez mijoter à feu très doux jusqu'à ce que les céleris soient cuits et l'eau de cuisson presque absorbée. Servez les céleris chauds ou froids, dans leur jus, avec quartiers de citron et brins de persil.

Maïs au fromage

Farine de maïs locale, la *mamaliga* est d'abord cuite comme une bouillie, puis cuite au four avec du fromage local, le *kashkaval*.

Ingrédients

Pour 4 à 6 personnes

- 130 g de farine de maïs grossièrement moulue
- 1 l d'eau
- 50 g de beurre
- 350 g de feta ou de *brynza,* égoutté(e) et émietté(e)
- 50 g de *kashkaval* dur râpé, pour saupoudrer
- sel et poivre noir fraîchement moulu
- lard grillé et ciboules, coupés dans le sens de la longueur, pour garnir
- sauce tomate, pour servir

1 Préchauffez le four à 190 °C (th. 6). En remuant de temps en temps, faites cuire le maïs à sec dans une grande casserole pendant 3 à 4 min, jusqu'à ce qu'il change de couleur. Retirez du feu.

2 Versez progressivement le litre d'eau et salez légèrement. Remettez sur le feu et remuez jusqu'à ce que le maïs épaississe un peu. Couvrez, réduisez le feu et laissez cuire 25 min, en mélangeant souvent.

3 Retirez du feu lorsque le maïs a suffisamment épaissi. Incorporez le beurre, la feta ou le *brynza* et assaisonnez généreusement.

4 Transférez dans un moule à fond amovible de 20 cm de diamètre. Faites cuire au four 25 à 30 min, jusqu'à ce que le gâteau de maïs soit ferme. Laissez reposer 2 à 3 h, voire toute la nuit. Servez décoré de *kashkaval,* de lard et de ciboule, et nappez de sauce tomate.

Boulettes de maïs

En-cas très apprécié, les boulettes de *mamaliga* contiennent ici des petits morceaux de salami. On peut les remplacer par du jambon fumé ou du fromage.

Ingrédients

Pour 6 à 8 personnes

- 250 g de farine de maïs fine *(mamaliga)*
- 60 cl d'eau légèrement salée
- 1 généreuse noix de beurre
- 120 g de salami grossièrement émincé
- huile pour friture
- sel et poivre noir fraîchement moulu
- tomates frites à la poêle et herbes fraîches ciselées, pour servir

1 Versez le maïs et l'eau dans une grande casserole à fond épais. Portez à ébullition et, en remuant sans cesse, laissez cuire 12 min, jusqu'à ce que le mélange puisse être façonné en boulettes. Incorporez le beurre et assaisonnez largement.

Astuce

Plusieurs sortes de *mamaliga* existent, du gros grains au grain fin. Celle à gros grains est souvent plus appropriée à la cuisine.

2 Avec les mains légèrement farinées, façonnez des boulettes deux fois plus grosses qu'une noix et placez le salami au centre avant de les rouler.

3 Faites frire les boulettes dans l'huile à 180-190 °C, pendant 2 à 3 min. Elles doivent être bien dorées. Égouttez-les soigneusement sur du papier absorbant. Servez avec des tomates frites à la poêle et des herbes fraîches ciselées.

Chou au four

Pour exécuter ce plat, un chou entier est nécessaire, y compris le cœur particulièrement savoureux.

Ingrédients

Pour 4 personnes

- 1 chou vert ou blanc d'environ 700 g
- 1 cuil. à soupe d'huile d'olive
- 2 cuil. à soupe d'eau
- 3 à 4 cuil. à soupe de bouillon de légumes
- 4 tomates mûres et fermes, pelées et concassées
- 1 cuil. à café de piment en poudre
- sel
- 1 cuil. à soupe de persil ou de fenouil frais ciselé, pour garnir (facultatif)

Pour la garniture

- 3 tomates mûres et fermes, coupées en fines rondelles
- 1 cuil. à soupe d'huile d'olive
- sel et poivre noir fraîchement moulu

1 Préchauffez le four à 180 °C (th. 6). Hachez finement les feuilles et le cœur du chou. Faites chauffer l'huile dans une cocotte avec l'eau, puis ajoutez le chou. Laissez cuire à feu très doux et à couvert, pendant 5 à 10 min, pour permettre à l'eau de s'évaporer. Remuez de temps en temps.

2 Versez le bouillon et incorporez les tomates. Faites cuire encore 10 min. Assaisonnez avec le piment en poudre et 1 pincée de sel.

3 Transférez le chou dans un plat à four en verre. Égalisez la surface, puis recouvrez avec les rondelles de tomate. Assaisonnez et badigeonnez d'huile pour éviter que le mélange ne sèche. Laissez cuire 30 à 40 min, jusqu'à ce que les tomates commencent à dorer. Servez chaud, garni de persil ou de fenouil.

Astuce

Pour varier le goût de ce plat, vous pouvez ajouter des poivrons rouges ou verts, épépinés et coupés en dés. Si vous ne disposez pas de cocotte, faites cuire le chou dans une poêle, puis transférez dans un plat à four.

Crème de courgettes

Comme les aubergines, les courgettes s'utilisent de diverses façons. Pour donner une texture plus croustillante à cette recette, les courgettes sont saupoudrées avec de la chapelure avant de faire griller le tout.

INGRÉDIENTS

Pour 4 à 6 personnes

- 6 courgettes d'environ 200 g chacune
- 65 g de beurre
- 1 oignon finement émincé
- 4 cuil. à soupe de chapelure
- sel
- olives, rondelles de citron et brins de persil, pour garnir

1 Coupez les courgettes en rondelles de 1 cm. Faites-les cuire dans une casserole d'eau bouillante 5 à 8 min. Égouttez.

2 Écrasez les courgettes à l'aide d'un presse-purée, ou passez-les au mixer jusqu'à l'obtention d'une purée lisse.

3 Faites fondre 40 g de beurre dans une poêle, mettez à cuire l'oignon, puis incorporez la purée de courgettes. Prolongez la cuisson encore 2 à 3 min, sans laisser blondir, avant de transférer le tout dans un plat de service préchauffé pouvant aller au four.

4 Parsemez les courgettes avec le reste de beurre et saupoudrez de chapelure. Faites cuire sous un gril préchauffé jusqu'à ce qu'elles dorent. Garnissez avec des olives, 1 rondelle de citron et 1 brin de persil juste avant de servir.

ASTUCE

Vous pouvez remplacer les courgettes par 2 grosses courges pelées, épépinées et coupées en dés.

Salade de tomates et de concombre

Cette salade bulgare est élaborée à partir de l'excellent yaourt local. À défaut, on peut le remplacer par du yaourt à la grecque.

INGRÉDIENTS

Pour 4 personnes

- 450 g de tomates mûres et fermes
- 1/2 concombre
- 1 oignon

Pour l'assaisonnement

- 4 cuil. à soupe d'huile d'olive ou végétale
- 6 cuil. à soupe de yaourt à la grecque épais
- 2 cuil. à soupe de persil frais ciselé, ou de ciboule
- 1/2 cuil. à café de vinaigre
- sel et poivre noir fraîchement moulu
- 1 petit piment, épépiné et haché, ou des lanières de ciboule de 2,5 cm, pour garnir
- pain de campagne, pour servir

1 Pour peler les tomates, placez-les dans une jatte et couvrez d'eau bouillante. Dès que la peau commence à se fendre, au bout de 1 à 2 min, égouttez-les et plongez-les dans de l'eau froide. Pelez-les, coupez-les en quartiers, puis épépinez-les et hachez-les.

2 Hachez le concombre et l'oignon en morceaux de taille identique aux morceaux de tomates et déposez le tout dans une jatte.

3 Mélangez tous les ingrédients de l'assaisonnement, puis salez et poivrez à votre goût. Versez sur la salade et remuez bien. Garnissez avec 1 pincée de poivre noir, le piment ou la ciboule, et servez accompagné de pain croustillant.

Salade de sardines aux olives noires

Les ingrédients de cette salade – sardines, olives, tomates et vinaigre de vin – lui donnent une délicieuse saveur estivale.

INGRÉDIENTS

Pour 6 personnes

- 8 grosses tomates mûres et fermes, coupées en rondelles de 5 mm d'épaisseur
- 1 gros oignon rouge coupé en fines rondelles
- 4 cuil. à soupe de vinaigre de vin
- 6 cuil. à soupe d'huile d'olive
- 18 à 24 petites sardines, cuites
- 75 g d'olives noires dénoyautées, bien égouttées
- sel et poivre noir fraîchement moulu
- 3 cuil. à soupe de persil frais ciselé, pour garnir

1 Disposez les rondelles de tomates sur un plat de service, en les faisant se chevaucher, puis décorez avec les rondelles d'oignon. Dans un bol, mélangez le vinaigre de vin, l'huile d'olive, du sel et du poivre.

2 Versez cet assaisonnement sur les tomates et les oignons.

3 Garnissez la salade avec les sardines et les olives noires, puis parsemez de persil ciselé.

VARIANTE

On peut remplacer les sardines par 6 œufs durs écalés et coupés en deux.

DESSERTS ET PAINS

*Les Balkans offrent une extraordinaire variété de puddings
et de desserts, des pêches au four à la crème aux très riches gâteaux
au chocolat, tel le Torte Varazdin. Les fruits frais et à coque dure,
comme les noix et les châtaignes, sont des produits très appréciés.
Ils sont souvent mélangés à du sucre et du miel pour composer
de délicieux desserts. Mais c'est sans doute le mélange local
de pétales et d'eau de rose servant à parfumer certains gâteaux qui
constitue la touche la plus originale de la pâtisserie de cette région.*

Gâteau au café et aux noix

Ce gâteau aux noix et à la crème de café se sert généralement avec une liqueur de cerise aigre.

INGRÉDIENTS

Pour 8 à 12 personnes
- 4 feuilles de pâte filo
- 50 g de beurre fondu
- 4 œufs, blancs et jaunes séparés
- 175 g de sucre en poudre
- 90 g de noix finement écrasées
- morceaux de noix et sucre glace tamisé, pour décorer

Pour la garniture
- 200 g de beurre à température ambiante
- 1 jaune d'œuf
- 150 g de sucre en poudre
- 3 cuil. à soupe de café fort froid

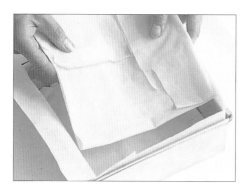

1 Préchauffez le four à 180 °C (th. 6). Graissez et tapissez de papier sulfurisé un moule carré profond de 20 cm. Badigeonnez de beurre les feuilles de pâte filo, repliez-les et placez-les au fond du moule.

VARIANTE

Vous pouvez utiliser des pistaches à la place des noix, si vous préférez. Dans ce cas, broyez-les au mixer.

2 Dans une jatte, fouettez les jaunes d'œuf et le sucre jusqu'à l'obtention d'une crème épaisse et pâle.

3 Fouettez les blancs d'œufs en neige ferme. Incorporez les noix écrasées.

4 Incorporez les blancs en neige à la crème aux jaunes. Transférez le tout dans le moule. Faites cuire au four 25 à 30 min. Laissez refroidir.

5 Travaillez les ingrédients de la garniture en crème, puis étalez cette dernière sur le gâteau avec un couteau à lame arrondie. Parsemez de morceaux de noix. Mettez au réfrigérateur 3 à 4 h, voire une nuit. Saupoudrez le gâteau de sucre glace et coupez-le en en triangles ou en carrés.

Torte Varazdin

Le gâteau au chocolat est apprécié dans le monde entier, sous ses formes les plus diverses. Dans cette recette originaire de l'ancienne Yougoslavie, il est enrichi par une farce à la crème de marrons.

INGRÉDIENTS

Pour 8 à 12 personnes

- 230 g de beurre à température ambiante
- 230 g de sucre en poudre
- 200 g de chocolat noir fondu
- 6 œufs, blancs et jaunes séparés
- 130 g de farine tamisée
- copeaux de chocolat, pour décorer

Pour la farce

- 25 cl de crème fraîche épaisse, légèrement battue
- 450 g de purée de marrons en boîte
- 100 g de sucre en poudre

Pour la garniture

- 150 g de beurre
- 150 g de sucre glace tamisé
- 120 g de chocolat noir fondu

1 Préchauffez le four à 180 °C (th. 6). Graissez et tapissez de papier sulfurisé un moule à gâteau rond de 20 cm de diamètre environ. Travaillez le beurre et le sucre en crème pâle et légère. Incorporez le chocolat fondu et les jaunes d'œufs, puis la farine.

2 Dans une jatte, fouettez les blancs d'œufs en neige ferme. Ajoutez 1 cuillerée à soupe de blanc d'œuf à la crème au chocolat pour l'alléger, puis incorporez délicatement le reste des blancs en neige. Transférez le mélange dans le moule.

3 Faites cuire le gâteau au four 45 à 50 min, jusqu'à ce qu'une brochette piquée au milieu ressorte propre. Laissez refroidir sur une grille. Lorsqu'il est froid, retirez le papier sulfurisé et coupez horizontalement le gâteau en 2 moitiés.

4 Mélangez les ingrédients de la farce dans une jatte, puis répartissez-la sur l'une des moitiés de gâteau. Posez par-dessus la seconde moitié.

5 Pour la garniture, travaillez en crème le beurre et le sucre dans une jatte avant d'incorporer le chocolat fondu. À l'aide d'un couteau dont la lame a été trempée dans l'eau, étalez la garniture sur les côtés et le dessus du gâteau. Mettez au réfrigérateur 1 h. Servez le *torte* décoré de copeaux de chocolat.

Baklava

Les origines de cette recette
sont grecques et turques, mais
elle fut adoptée dans tout le
sud-est de l'Europe. Dessert
particulièrement sucré, il
s'accompagne bien de café fort.

INGRÉDIENTS

Pour 24 morceaux

- 175 g de beurre fondu
- 400 g de pâte filo, décongelée
  si nécessaire
- 2 cuil. à soupe de jus de citron
- 4 cuil. à soupe de miel blond épais
- 50 g de sucre en poudre
- le zeste finement râpé d'1 citron
- 2 cuil. à café de cannelle en poudre
- 200 g d'amandes mondées et hachées
- 200 g de noix hachées
- 75 g de pistaches ou de noisettes,
  hachées
- pistaches cassées en petits morceaux,
  pour décorer

Pour le sirop

- 350 g de sucre en poudre
- 120 g de miel blond liquide
- 60 cl d'eau
- 2 lanières de zeste de citron

1 Préchauffez le four à 160 °C (th. 5).
Badigeonnez le fond amovible d'un
moule rectangulaire profond (30 × 20 cm)
avec un peu de beurre fondu.

2 Découpez les feuilles de pâte filo aux
dimensions du moule utilisé.

3 Couvrez le fond du moule d'1 feuille
de pâte filo, badigeonnez avec un peu
de beurre fondu, puis répétez l'opération
jusqu'à l'utilisation de la moitié des feuilles de pâte. Réservez le reste et couvrez
avec un torchon.

4 Faites cuire le jus de citron, le miel
et le sucre dans une casserole, à feu
doux, jusqu'à dissolution. Incorporez le
zeste de citron, la cannelle et les fruits à
coque hachés. Mélangez vigoureusement.

5 Étalez la moitié de cette farce sur la
pâte filo, couvrez avec 3 feuilles de
pâte badigeonnées de beurre fondu, puis
étalez le reste de farce sur la pâte.

6 Recouvrez le tout avec les feuilles de
pâte restantes, en beurrant chaque
couche, puis badigeonnez largement de
beurre le dessus du baklava.

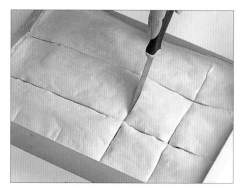

7 À l'aide d'un couteau, divisez soigneusement le baklava en carrés, en
coupant presque complètement la farce.
Faites cuire au four 1 h. Il doit bien dorer.

8 Préparez le sirop. Mélangez le sucre
en poudre, le miel, l'eau et le zeste
de citron dans une casserole, à feu doux,
jusqu'à ce que le miel et le sucre soient
dissous. Portez à ébullition, puis laissez
bouillir 10 min, afin que le sirop épaississe.

9 Retirez le sirop du feu et laissez légèrement refroidir. Sortez le baklava du
four. Ôtez le zeste de citron du sirop, puis
versez ce dernier sur le baklava. Laissez
s'imbiber pendant 6 h, voire une nuit.
Coupez en carrés et servez-les décorés de
morceaux de pistaches.

Mousse aux groseilles et aux pommes

Dans cette recette roumaine, on utilise des pommes et des groseilles de production locale macérées dans le vin rouge, pour préparer cette mousse crémeuse.

INGRÉDIENTS

Pour 4 à 6 personnes

- 175 g de groseilles
- 18 cl de vin rouge, plus un peu pour arroser
- 4 pommes de table croquantes, évidées, pelées et coupées en lamelles
- 25 cl d'eau
- 230 g de sucre en poudre
- 2 cuil. à soupe de farine de maïs
- quelques gouttes de colorant alimentaire rose (facultatif)
- 3 jaunes d'œufs
- 1 cuil. à café d'essence de vanille
- 1/2 cuil. à café de cannelle
- 2 blancs d'œufs
- raisins rouges sans pépins, sucre en poudre et feuilles de menthe, pour décorer

1 Faites macérer les groseilles dans le vin rouge, 1 h à 1 h 30. Égouttez les groseilles et réservez. Passez le vin afin de le débarrasser des petits morceaux de groseille, puis allongez avec un peu de vin, si nécessaire, pour obtenir 18 cl de liquide.

2 Pendant que les groseilles macèrent, faites cuire les pommes dans une casserole avec l'eau et les 2/3 du sucre. Laissez refroidir.

3 Réduisez les pommes en compote au mixer, puis remettez-les dans la casserole.

4 Mélangez la farine de maïs et le vin rouge, puis versez le tout dans la compote. Faites cuire 8 à 10 min, en remuant constamment. Ajoutez le colorant alimentaire (facultatif).

5 Dans une jatte, battez les jaunes d'œufs avec le reste de sucre et l'essence de vanille en une crème pâle et épaisse.

6 Introduisez peu à peu à la crème aux jaunes d'œufs à la compote de pommes en fouettant au batteur électrique. Ajoutez la cannelle et battez jusqu'à l'obtention d'une purée lisse.

7 Laissez cette préparation épaissir au réfrigérateur. Réservez 1 cuillerée à café de blanc d'œuf pour décorer et montez le reste en neige ferme. Incorporez les groseilles et les blancs en neige dans la compote de pommes. Mettez à réfrigérer.

8 Pendant ce temps, préparez les raisins. Badigeonnez-les avec un peu de blanc d'œuf réservé et saupoudrez-les de sucre. Laissez sécher. Décorez la mousse de grains de raisin et de feuilles de menthe.

Strudel aux cerises

Il existe dans la région de nombreuses variantes de strudel, aux garnitures très différentes – graines de pavot, raisins secs et miel, ou fromage sucré. Les strudels aux pommes et aux cerises sont toutefois les plus populaires. La pâte du strudel doit être d'une extrême finesse, légère et croustillante. Elle demande beaucoup de patience, car l'abaisse est très longue. Toutefois vos efforts seront largement récompensés par le résultat obtenu.

INGRÉDIENTS

Pour 8 à 10 personnes
- 250 g de farine de boulanger
- 75 g de farine
- 1 œuf battu
- 150 g de beurre fondu
- 10 cl d'eau tiède
- sucre glace tamisé, pour saupoudrer

Pour la farce
- 65 g de noix grossièrement hachées
- 120 g de sucre en poudre
- 700 g de cerises dénoyautées
- 40 g de chapelure

1 Préchauffez le four à 200 °C (th. 7). Tamisez les farines dans une grande jatte. Faites un puits au centre et ajoutez l'œuf, 120 g de beurre fondu et l'eau. Mélangez pour obtenir une pâte lisse et élastique, en ajoutant un peu de farine si nécessaire. Laissez lever la pâte, enveloppée de film plastique, pendant 30 min.

2 Pendant ce temps, mélangez les noix hachées, le sucre, les cerises et la chapelure dans une jatte.

3 Saupoudrez un torchon de farine. Abaissez la pâte jusqu'à ce qu'elle recouvre entièrement le torchon. La pâte doit être la plus fine possible : vous devez discerner les motifs du tissu à travers.

4 Humidifiez les bords avec de l'eau. Étalez la farce aux cerises sur la pâte, en laissant une bordure tout autour de 2,5 cm de large environ. Roulez délicatement la pâte en repliant les côtés afin que la farce ne puisse sortir. Aidez-vous du torchon pour rouler la pâte.

5 Badigeonnez le strudel avec le reste de beurre fondu. Placez-le sur une plaque à four et façonnez-le en forme de fer à cheval. Faites cuire le strudel au four 30 à 40 min, jusqu'à ce qu'il soit bien doré. Saupoudrez de sucre glace, servez chaud ou froid.

Crème à l'eau de rose

Cette crème légère et onctueuse comme une mousse est délicatement parfumée à l'eau de rose.

INGRÉDIENTS

Pour 4 à 6 personnes

- 230 g de fromage frais à 40 % ou 60 % de matières grasses
- 5 cuil. à soupe de crème aigre
- 2 œufs, blancs et jaunes séparés
- 50 g de sucre vanillé
- 120 g de framboises
- 120 g de fraises
- sucre glace tamisé
- 1 cuil. à soupe d'eau de rose
- fraises, feuilles de menthe et petites roses, pour décorer

1 Dans une jatte, battez le fromage frais avec la crème aigre et les jaunes d'œufs jusqu'à ce que le mélange soit onctueux. Incorporez la moitié du sucre.

2 Dans une autre jatte, fouettez les blancs d'œufs en neige ferme, puis ajoutez le reste de sucre sans cesser de fouetter. Incorporez les blancs d'œufs à la crème au fromage frais. Laissez le mélange au réfrigérateur jusqu'à son utilisation.

3 Préparez un sirop de fruits en réduisant les framboises et les fraises en purée. Tamisez pour éliminer les pépins. Ajoutez du sucre glace à votre goût. Versez un peu d'eau de rose dans 4 à 6 coupes en verre, puis répartissez les 3/4 du sirop de fruits entre les coupes. Nappez avec le mélange au fromage frais. Décorez du reste de sirop, en dessinant des torsades avec une cuillère.

4 Placez les coupes sur des assiettes et décorez avec des moitiés de fraises, des feuilles de menthe et des petites roses.

Gâteau de riz à la bulgare

Il existe de nombreuses variantes de gâteau de riz, mais la présence de pistaches, de citron, de cannelle et de pétales de rose font l'originalité de cette recette bulgare.

INGRÉDIENTS

Pour 4 à 6 personnes

- 75 g de riz à grains courts
- 3 cuil. à soupe de sucre cristallisé
- 90 cl de lait entier
- 25 g de beurre
- 1 bâton de cannelle
- 1 zeste de citron
- pistaches et pétales de rose, pour décorer

1 Mettez le riz, le sucre, le lait, le beurre, le bâton de cannelle et le zeste de citron dans une casserole à fond épais.

> ── ASTUCE ──
>
> Pour un gâteau de riz plus onctueux, ajoutez 15 cl de crème fraîche légèrement battue juste avant de servir.

2 Faites cuire à feu très doux, en remuant de temps en temps, pendant 1 h 30 environ, jusqu'à ce que le mélange soit bien épais et crémeux. Retirez le bâton de cannelle et le zeste de citron.

3 Répartissez le gâteau de riz dans des assiettes, puis décorez avec des moitiés de pistaches et des pétales de rose.

Gâteau au citron

Ce gâteau roumain est composé d'un mélange de yaourt épais, de citron et de miel, et d'un soupçon de cannelle.

INGRÉDIENTS

Pour 16 morceaux

- 50 g de beurre ramolli
- 120 g de sucre en poudre
- 2 gros œufs, blancs et jaunes séparés
- 120 g de yaourt à la grecque
- le zeste râpé de 2 citrons
- le jus d'1/2 citron
- 150 g de farine pour gâteau (avec levure incorporée)
- 1/2 cuil. à café de levure chimique
- zestes de citron, pour décorer

Pour le sirop

- le jus d'1/2 citron
- 4 cuil. à soupe de miel liquide
- 3 cuil. à soupe d'eau
- 1 petit bâton de cannelle

1 Préchauffez le four à 190 °C (th. 6). Graissez et tapissez de papier sulfurisé un moule à gâteau carré de 18 cm de côté. Dans une jatte, travaillez le beurre et le sucre en une crème légère et pâle.

2 Incorporez peu à peu les jaunes d'œufs, le yaourt, le zeste et le jus de citron. Battez jusqu'à ce que le mélange soit bien lisse. Dans une autre jatte, fouettez les blancs en neige ferme.

3 Tamisez la farine et la levure chimique. Ajoutez-les au mélange au yaourt, puis incorporez les blancs d'œufs.

4 Transférez la préparation dans le moule. Faites cuire le gâteau au four 25 min environ, jusqu'à ce qu'il soit bien doré et ferme au toucher. Démoulez sur une assiette et retirez le papier sulfurisé.

5 Préparez le sirop : mettez le jus de citron, le miel, l'eau et le bâton de cannelle dans une petite casserole. Remuez jusqu'à l'ébullition, puis laissez cuire afin que le mélange devienne sirupeux.

6 Retirez la casserole du feu. Ôtez le bâton de cannelle. Nappez le gâteau de sirop, puis décorez avec le zeste de citron. Laissez le gâteau complètement refroidir avant de le couper en 16 morceaux.

ASTUCE

Le miel de cette région a une saveur particulière car le pollen est butiné sur des fleurs sauvages. Utilisez de préférence un miel artisanal pour cette recette.

Carrés à la ricotta

Ce gâteau au fromage léger
est garni d'une couche de ricotta
légèrement citronnée.

INGRÉDIENTS

Pour 16 carrés

- 3 gros œufs, blancs et jaunes séparés
- 175 g de sucre en poudre
- 3 cuil. à soupe d'eau chaude
- 190 g de farine tamisée
- 1/2 cuil. à café de levure chimique
- sucre glace tamisé, pour saupoudrer
- longues lanières de zeste de citron, pour décorer
- fruits frais, pour servir

Pour la farce

- 500 g de ricotta
- 10 cl de crème fraîche épaisse, légèrement battue
- 25 g de sucre en poudre
- 2 cuil. à café de jus de citron

1 Préchauffez le four à 190 °C (th. 6).
Graissez un moule rectangulaire de
30 × 20 cm pour biscuit roulé. Dans une
jatte, fouettez ensemble les jaunes d'œufs
et le sucre jusqu'à ce que le mélange
pâlisse et triple de volume.

ASTUCE

Vous pouvez servir ce gâteau à la ricotta
avec des fruits de saison, comme des mûres,
des pêches et des abricots, trempés dans un
peu de cognac à la cerise *(maraska)*.
---

2 Ajoutez l'eau chaude aux jaunes
d'œufs, avec la farine et la levure chimique. Dans une jatte, fouettez légèrement les blancs d'œufs en neige, puis
incorporez-les aux jaunes.

3 Versez la pâte dans le moule en l'inclinant pour que le mélange soit bien
réparti sur le fond. Faites cuire au four
15 à 20 min, jusqu'à ce que le gâteau soit
doré et ferme au toucher. Démoulez et
laissez refroidir sur une grille, puis coupez-le horizontalement en 2 moitiés.

4 Pour la farce, battez la ricotta dans
une jatte, puis incorporez la crème,
le sucre en poudre et le jus de citron. Étalez la farce sur une moitié de gâteau, puis
recouvrez avec la deuxième moitié de
gâteau. Pressez légèrement la couche
supérieure du gâteau.

5 Mettez à réfrigérer 3 à 4 h. Juste
avant de servir, saupoudrez de sucre
glace et décorez de lanières de zeste de
citron. Coupez en 16 carrés et servez
accompagné de fruits frais.

Pêches au four

Cette recette bulgare emploie des pêches fraîches épicées légèrement avec des clous de girofle. Les pêches abondent en été. On peut les faire sécher ou les conserver dans du vin ou du cognac, ou encore en faire des conserves.

INGRÉDIENTS

Pour 6 personnes

- 6 pêches mûres
- 40 g de beurre
- 12 clous de girofle
- 90 g de sucre vanillé
- 3 cuil. à soupe de cognac ou de vin blanc sec (facultatif)
- sucre glace tamisé, pour décorer
- pistaches, feuilles de menthe et crème fouettée, pour servir

1 Préchauffez le four à 180 °C (th. 6). Étalez la moitié du beurre dans un plat à four, en recouvrant bien le fond et les côtés.

2 Coupez les pêches en deux et dénoyautez-les. Disposez les 1/2 pêches, la peau tournée vers le fond, dans le plat. Piquez le centre de chaque 1/2 pêche avec 1 clou de girofle.

3 Saupoudrez de sucre vanillé et posez 1 morceau du beurre restant sur chaque 1/2 pêche. Arrosez de cognac ou de vin blanc (facultatif). Faites cuire au four 30 min, afin que les pêches soient tendres.

4 Servez les pêches, chaudes ou froides, saupoudrées de sucre glace. Accompagnez-les de crème fouettée, de pistaches et de feuilles de menthe.

Halva

Halva est le nom donné à une confiserie fabriquée dans tous les Balkans. Elle est généralement à base de farine de blé, de farine de maïs, de semoule ou de farine de riz, à laquelle on ajoute des proportions variables de beurre, de lait, d'eau et de sucre. Vous trouverez ici une recette idéale pour les débutants.

INGRÉDIENTS

Pour 6 à 8 personnes

- 280 g de semoule fine
- 50 g de beurre
- 50 g de sucre en poudre
- 75 cl de lait très chaud
- le zeste râpé d'1 citron
- 90 g de noix hachées
- noix hachées, pistaches et cannelle en poudre, pour décorer

1 Faites frire à sec la semoule dans une casserole à fond épais, à feu doux pendant 5 min, en remuant sans cesse. Elle doit blondir sans trop foncer. Retirez du feu, puis ajoutez le beurre et le sucre, en remuant jusqu'à ce qu'ils aient fondu.

ASTUCE

Veillez à ce que la semoule n'attache pas au fond de la casserole lors de la cuisson à sec.

2 Remettez à cuire à feu doux et incorporez peu à peu le lait, en mélangeant bien à chaque fois. Laissez mijoter 5 min, puis ajoutez le zeste de citron et les noix.

3 Laissez mijoter encore 5 min, en remuant constamment, jusqu'à ce que le mélange soit très épais. Couvrez et laissez refroidir.

4 Aérez le halva avec une fourchette. Servez chaud, décoré de noix, de pistaches et de cannelle.

Beignets des Balkans

Vendus dans les rues, ces beignets en forme de boulettes sont un dessert de prédilection pour les habitants de cette région. Ils ont la saveur des confitures faites maison et sont généralement fourrés de confiture de cerises, de prunes ou d'abricots. Mieux vaut les déguster le jour de leur fabrication.

INGRÉDIENTS

Pour 10 à 12 beignets

- 230 g de farine chauffée
- 1/2 cuil. à café de sel
- 7 g de levure de boulanger
- 1 œuf battu
- 4 à 6 cuil. à soupe de lait
- 1 cuil. à soupe de sucre cristallisé
- 4 cuil. à soupe de confiture de cerises
- huile pour friture
- 50 g de sucre en poudre
- 1/2 cuil. à café de cannelle en poudre

1 Dans une jatte, tamisez la farine avec le sel. Incorporez la levure. Faites un puits au centre.

2 Mélangez bien pour obtenir une pâte molle, en ajoutant du lait si nécessaire. La pâte doit être lisse, mais non collante.

3 Battez bien, couvrez de film plastique et laissez la pâte lever 1 h à 1 h 30 dans un endroit chaud jusqu'à ce qu'elle ait doublé de volume.

4 Pétrissez la pâte sur une surface farinée, puis séparez-la en 10 à 12 morceaux que vous façonnez en disques.

5 Déposez 1 cuillerée à café de confiture au centre de chaque disque.

6 Humidifiez les bords de pâte avec de l'eau, puis ramenez-les au centre pour former une boule, en pressant fermement afin que la confiture ne sorte pas pendant la cuisson. Placez les beignets sur une plaque à four graissée et laissez lever 15 min.

7 Dans une grande casserole, chauffez l'huile à 180 °C : un morceau de pain de 2,5 cm doit dorer en 60 à 70 s. Faites frire les beignets 5 à 10 min à feu moyen. Lorsqu'ils sont dorés, égouttez-les sur du papier absorbant.

8 Mélangez le sucre et la cannelle dans une assiette et saupoudrez-en généreusement les beignets.

Oiseau de paradis

Ce pain bulgare, aux œufs
et au fromage, doit son nom
à sa décoration traditionnelle.

INGRÉDIENTS

Pour 10 à 12 personnes

- 1 cuil. à soupe de levure de boulanger
- 4 cuil. à soupe d'eau tiède
- 350 g de farine tamisée
- 1 cuil. et 1/2 à café de sel
- 6 cuil. à soupe de yaourt nature
- 5 œufs battus
- 75 g de feta ou de *brynza,* finement émietté(e)
- 1 cuil. à soupe de lait

Pour la garniture

- 120 g de *kashkaval* ou de cheddar, coupé en 4 triangles
- 1 morceau de jambon épais, coupé en 4 carrés
- 4 olives noires dénoyautées (facultatif)
- 1 étoile de poivron rouge d'environ 2,5 cm

1 Dans un bol, saupoudrez la levure sur l'eau chaude. Au bout de 2 à 3 min, remuez et laissez prendre 5 à 10 min, afin que le mélange soit mousseux.

2 Dans une jatte, tamisez la farine et le sel. Faites un puits au centre et versez la levure, le yaourt, 4 œufs et la feta (ou le *brynza*). Remuez bien pour obtenir une pâte, en ajoutant de la farine si nécessaire. Travaillez vigoureusement la pâte sur une surface légèrement farinée, pendant 10 min environ.

3 Façonnez la pâte en une boule, couvrez de film plastique et laissez lever dans un endroit chaud, environ 2 h, jusqu'à ce qu'elle ait doublé de volume.

4 Sur une surface légèrement farinée, pétrissez de nouveau la pâte et abaissez-la en un disque de 20 cm de diamètre. Tapissez-en un moule graissé, à fond amovible, ou placez-la directement sur une plaque à four beurrée. Dans un bol, battez le dernier œuf avec le lait et badigeonnez-en généreusement le pain.

5 Décorez le centre du pain de triangles de fromage disposés en carré. Placez le jambon et les olives entre les morceaux de fromage et déposez l'étoile de poivron rouge au centre. Laissez lever encore 30 à 45 min. Préchauffez le four à 200 °C (th. 7), puis faites cuire le pain pendant 15 min.

6 Réduisez la température du four à 180 °C (th. 6) et prolongez la cuisson encore 30 à 40 min, jusqu'à ce que le pain soit doré. Laissez refroidir l'oiseau de paradis sur une grille.

Pain de maïs

La *mamaliga,* ou farine de maïs, est un ingrédient de base de la région des Balkans. Ici le pain est rendu plus savoureux encore grâce au fromage.

INGRÉDIENTS
Pour 1 miche ou 9 petits pains

- 75 g de farine pour gâteau (avec levure incorporée)
- 1 cuil. et 1/2 à café de levure chimique
- 75 g de farine de maïs
- 1/2 cuil. à café de sel
- 1 œuf
- 15 cl de lait
- 25 g de cheddar finement râpé (facultatif)

1 Préchauffez le four à 200 °C (th. 7). Placez la farine pour gâteau, la levure, la farine de maïs et le sel dans une grande jatte. Mélangez bien, puis faites un puits au centre.

2 Ajoutez l'œuf, le lait et le cheddar (facultatif). Mélangez bien avec une cuillère en bois.

3 Graissez un moule à gâteau rond ou 9 ramequins. Versez la pâte dedans.

4 Faites cuire au four 20 à 25 min, jusqu'à ce que le pain soit doré et ferme au toucher. Laissez refroidir sur une grille. Servez-le tiède, en tranches épaisses.

ASTUCE

Faites cuire le pain immédiatement après sa fabrication, sinon le levain perdra de son efficacité, et le pain ne sera pas aussi léger.

INDEX